# Tamburin 2

## Deutsch für Kinder

von
Siegfried Büttner
Gabriele Kopp
Josef Alberti

**Max Hueber Verlag**

**Quellenverzeichnis**
*Seite 29:* MHV Archiv • *Seite 40: links oben* dpa (Spalek/ecco-ph); *links Mitte* Southern Stock/Superbild; *rechts oben* dpa (Wirginings); *rechts Mitte* dpa (Pan-Asia); *links unten* dpa (Pan-Asia); *rechts unten* Southern Stock/Superbild • *Seite 62: unten links* Juniors Bildarchiv, Senden (St. Liebold); *Mitte unten* Juniors (M. Wegler); *Mitte oben* Juniors (M. Wegler); *unten rechts* Juniors (U. Schanz) • *Seite 82: Mitte unten* F. Heidhues, Aichtal; *links unten, rechts oben, rechts unten* Georg Eichner, Ismaning; *links oben* IFA-Bilderteam (Aigner) • *Seite 83: links oben* Gabi Kopp, München; *links unten* Georg Mößbauer, Ismaning; *rechts oben* Erna Friedrich, Ismaning; *rechts unten* Georg Eichner, Ismaning • *Seite 84:* Georg Mößbauer, Ismaning • *Seite 86: links oben, rechts oben* Erna Friedrich, Ismaning; *links unten* Georg Mößbauer, Ismaning; *rechts unten* IFA-Bilderteam (K. Thiele) • *Seite 87:* „Im Karneval, im Karneval" aus *Glück und Segen* von Bruno Horst Bull, Mosaik Verlag, Hamburg 1964 • *Seite 88: links* Georg Eichner, Ismaning; *Mitte* Erna Friedrich, Ismaning; *rechts* Georg Mößbauer, Ismaning

**Zeichnungen**
Bettina Bexte, Bremen

**Lieder**
Musik: Walter Brouwers, Aachen
Texte: die Autoren

6.  5.                     | Die letzten Ziffern
2008  07  06               | bezeichnen Zahl und Jahr des Druckes.
Alle Drucke dieser Auflage können, da unverändert,
nebeneinander benutzt werden.
2. Auflage 2000
© 1997 Max Hueber Verlag, 85737 Ismaning, Deutschland
Druck und Bindung: Ludwig Auer GmbH, Donauwörth
Printed in Germany
ISBN 3–19–001578–3

# Inhaltsverzeichnis

# Der Zirkus kommt

## 1. Lied: Der Zirkus Tortellini

Der    Zir-kus kommt! Der    Zir-kus kommt! Ihr    Leu-te, klein und

groß!    Der    Zir-kus    Tor-tel-li-ni    kommt! Dann

geht    es    rich-tig    los!    geht    es    rich-tig    los!

2. Der Zirkus kommt! Der Zirkus kommt!
   Ihr Leute, klein und groß!
   Er kommt am Donnerstag um drei.
   Dann geht es richtig los!

3. Der Zirkus kommt! Der Zirkus kommt!
   Ihr Leute, klein und groß!
   Tiere, Akrobaten, Clowns.
   Dann geht es richtig los!

**ZIRKUS TORTELLINI**

am Freitag und Samstag
um 8 Uhr abends

Großes Kinderprogramm
am Donnerstag
um 3 Uhr

## 2. Tassilo kommt

● Frau Bäcker, Frau Bäcker! Tassilo kommt!

▪ Wie? Was?

▲ Na ja, der Zirkus Tortellini kommt!

▪ Ach, ja! Tassilo!

● Wir möchten in den Zirkus gehen.

▪ So, so.

▲ Dürfen wir?

▪ Na, ich weiß nicht.

▲ Ach, bitte, bitte, bitte!

▪ Also gut!

## 3. *Noch drei Tage!*

● Noch drei Tage!

■ Was?

● Na ja, noch drei Tage.

■ Das verstehe ich nicht.

● Also. Heute ist Montag.
Der Zirkus kommt am Donnerstag.
Noch drei Tage.

■ Ach so!

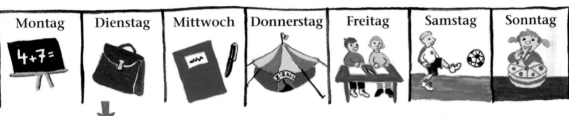

| Montag | Dienstag | Mittwoch | Donnerstag | Freitag | Samstag | Sonntag |

● Noch zwei Tage!

■ Was? ...

## 4. *Wann?*

a) Hör die Fragen. Hör dann die Schläge der Uhr
und zähl mit.
Beantworte die Fragen.

b) Lies die Fragen und die Uhrzeiten.

① Wann gehst du nach Hause?

② Wann ist der Zirkus?

③ Wann ist Schule?

④ Wann ist Pause?

⑤ Wann spielst du Fußball?

⑥ Wann siehst du fern?

Ⓐ Um drei.

Ⓑ Um zehn.

Ⓒ Um vier.

Ⓓ Um eins.

Ⓔ Um sechs.

Ⓕ Um acht.

Was passt zusammen? Schreib auf den Block: ①Ⓓ. ...

# 1. Der Zirkusdirektor

Hereinspaziert! Hereinspaziert!
Ihr Leute, klein und groß!
Wir spielen für euch ein Programm.
Bei uns, da ist was los!

Guten Tag, meine Damen und Herren!
Guten Tag, liebe Kinder!
Der Zirkus Tortellini präsentiert:
Akrobaten und Jongleure,
Löwen, Tiger und Dompteure.
Sensationen! Sensationen!
Pferde, Affen und ein Bär,
Elefanten und noch mehr
Sensationen, Sensationen!
Und die Clowns sind auch schon da:
Tassilo, Pipo und Claudia.
Und jetzt geht's los!

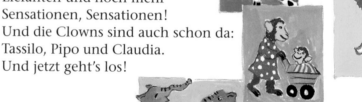

# 2. Löwen und Tiger

Sultan!
Mach Männchen!

Hassan!
Spring!

Cäsar!
Mach auf!

Wie passen die Bilder zusammen? Spielt die Szenen in der Klasse.

# 3. Die Clowns

Ich kann Rad fahren.
Ich kann gut Rad fahren.
Ich kann ganz toll Rad fahren.
Ich kann Rad fahren wie ein Akrobat.

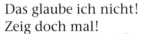

Nein. Du kannst das nicht.

Doch!

Das glaube ich nicht!
Zeig doch mal!

Ätsch!

Ebenso mit:

Ich kann klettern (wie ein Affe).

Ich kann springen (wie ein Tiger).

## 4. Szenen spielen

● Ich kann springen wie ein Löwe.

▪ Das glaube ich nicht.
Zeig doch mal!

Ebenso mit:

| Ich kann | springen | | Löwe |
|---|---|---|---|
| | laufen | | Tiger |
| | klettern | | Rabe |
| | Männchen machen | | Vogel |
| | singen | | Wolf |
| | tanzen | wie ein | Elefant |
| | turnen | | Hund |
| | spielen | | Akrobat |
| | schlafen | | Clown |
| | fliegen | | Pferd |
| | Rad fahren | | |
| | | wie eine | Katze |
| | | | Maus |

## 5. Ratespiel

Jeder Schüler schreibt einen Satz. Schau in der Liste oben nach.
Zum Beispiel: Ich kann springen wie ein Pferd.

a)  Spielt so:

● Ich kann springen wie ein SIMSALABIM.

▪ Wie ein Löwe?

...

b)  oder so:

● Ich kann SIMSALABIM wie ein Pferd.

▪ Kannst du laufen wie ein Pferd?

...

## 6. Schreibspiel

Schreib auf ein Blatt

Ich kann laufen  oder  Ich kann tanzen oder ...

Falte das Blatt nach hinten um.

Gib das Blatt deinem linken Mitspieler.

Schreib nun  wie ein Löwe  oder  wie eine Katze  oder ...

Mach das Blatt auf und lies vor. Wer hat den schönsten Quatsch?

## 7. Hörgeschichte: Pferde, Akrobaten, Elefanten

a) Hör zu und schau die Bilder an.

b) Hör noch einmal zu. Ordne die Bilder. Schreib die Buchstaben auf den Block.

c) Wer ist das?
  ① Sie macht Salto.  Das ist …  ③ Er macht Handstand.
  ② Sie machen eine Pyramide.  Das sind …  ④ Sie macht Handstand.

## 8. Ratespiel: Pantomime

Ein Kind spielt hinter der Tafel.  Zwei Kinder spielen hinter der Tafel.

## 9. Der Jongleur

Marco trainiert und trainiert.
Er möchte am Samstag
40 Teller balancieren.
Spielt die Szene.

| 30 | dreißig | 36 | sechsunddreißig | 50 | fünfzig |
|----|---------|----|------------------|----|---------|
| 31 | einunddreißig | 37 | siebenunddreißig | 60 | sechzig |
| 32 | zweiunddreißig | 38 | achtunddreißig | 70 | siebzig |
| 33 | dreiunddreißig | 39 | neununddreißig | 80 | achtzig |
| 34 | vierunddreißig | 40 | vierzig | 90 | neunzig |
| 35 | fünfunddreißig | ... | | 100 | hundert |

## 10. Hören

a) Hör zu und mach mit.

Klatschen = 10

Schnippen = 1

b) Hör zu und schreib die Zahlen.

# 11. Nachsprechen

Hör zu und sprich genau nach.

# 12. Sensationen, Sensationen!

Hier ist Sultan.
Er kann sehr gut Karten spielen.

Hier ist Claudia.
Sie kann ganz toll Männchen machen.

Wer kann was?

| der | das | die |
|-----|-----|-----|
| Löwe Sultan | Pferd Felix | Katze … |
| Hase Hoppel | Schaf … | Kuh … |
| Rabe Krakra | Krokodil … | Maus … |
| Elefant … | Kamel … | Schlange … |
| Affe … | | |
| Bär … | | |

der Clown Tassilo
der Dompteur Helmut
Marco
Pipo

Frau Esmeralda
Josefine
Claudia

Fußball spielen
Blindekuh spielen
Indianer spielen
Memory spielen
lesen     schreiben
turnen     rechnen
tanzen     malen
klettern     springen
laufen     balancieren
Rad fahren
Salto machen
Handstand machen
Männchen machen
Gitarre spielen

a) Mach lustige Sätze. Finde Namen für die Tiere.
b) Schreib eine Sensation auf ein Blatt und mal ein Bild dazu.

# 1. Lesegeschichte: Die Tierschau

| | |
|---|---|
| Kinder: | Tassilo! Hallo, Tassilo! |
| Tassilo: | Hallo! Guten Tag, Frau Bäcker! |
| Frau Bäcker: | Also, Tassilo, der Zirkus ist toll! |
| Tassilo: | Wir haben auch eine Tierschau. |
| Kinder: | Au ja! Wir möchten die Tiere sehen. |
| Tassilo: | Hier sind die Löwen. |
| Susi: | Ach, die schlafen ja. |
| Tassilo: | Na klar! Sie sind doch jetzt müde. |
| Sarah: | O, sieh mal! Ein Bär! |
| Tassilo: | Das ist Otto. |
| Jörg: | Der ist aber groß und stark. |
| Tassilo: | Und ganz lieb. |
| Sarah: | Na, ich weiß nicht! |
| Tassilo: | Und er kann gut tanzen. |
| Sarah: | Sieh mal! Die Affen! |
| | Die sind aber lustig. |
| Tassilo: | Ja, die drei machen immer Quatsch. |
| Susi: | Da sind ja die Elefanten! |
| Sarah: | Mensch, das Elefantenbaby. Das ist ja lieb! |
| Jörg: | Kann es schon Handstand machen? |
| Tassilo: | Nein, nein! Es ist noch so klein. |
| | Da ist Hugo! |
| Susi: | Hugo? Dein Vater heißt doch Pipo! |
| Tassilo: | Hugo ist ein Floh! |
| Susi/Sarah: | Was? |
| Pipo: | Hugo, spring! |
| Tassilo: | Hugo kann auch Männchen machen. |
| Frau Bäcker: | Das glaube ich nicht! |

# 2. So ein Quatsch!

Die Löwen sind müde. Sie machen Salto.
Das Elefantenbaby ist lieb. Und es ist groß und stark.
Der Bär ist lustig. Er kann gut rechnen.

a) Mach die Sätze richtig.
b) Schreib Quatschsätze. Wer macht den schönsten Quatsch?
   Der Floh ist groß. Er kann …

# 1. Zirkus in der Schule

Der Zirkus

? 

kommt!

Kinderprogramm

am ?

um ?

Macht ein Zirkusplakat.

Wie heißt der Zirkus?

Wann kommt der Zirkus?

Malt auch ein Bild auf das Plakat.

# 2. Wer macht mit?

a) Was gibt es im Zirkus?
   Schreibt eine Liste an die Tafel.

Zirkusdirektor
Löwen
Dompteur
Clowns
Akrobaten
...

b) Wer spielt was?

Ich möchte Zirkusdirektor sein.

Ich möchte Löwe sein.

Ich auch.

Schreibt die Namen in die Liste.
Zirkusdirektor: Fabian
Löwen: Mira, Jens

c) Schreibt die Liste mit den Namen auf ein Blatt.
   Die Personen:
   Zirkusdirektor: Fabian

## 3. Das Programm

a) Schreibt das Programm auf ein Blatt.
   Nummer 1: Löwen und Tiger
   Nummer 2: ...

b) Malt zu jeder Nummer ein Bild und schreibt einen Satz dazu.

Das ist der Elefant Jumbo.
Er kann gut Handstand machen.

oder:

Ich bin der Löwe Sultan.
Ich kann gut springen.

oder:

Das sind die Clowns ...
Sie machen Quatsch.

## 4. Die Klassenzeitschrift

Sammelt alle Blätter,
zuerst das Plakat,
dann die Personen,
dann das Programm,
dann die Bilder.
Die Klassenzeitschrift ist fast fertig.
Ihr braucht nur noch ein Titelblatt.
So kann das Titelblatt aussehen:

Klassenzeitschrift
**TAMBURIN**

Nummer 1

Klasse 4a

z i r k u s

Heftet alle Blätter zusammen.
Die Klassenzeitschrift Nummer 1 ist fertig.

## 5. Verkleiden

Ein Löwe:

Du brauchst eine Tiermaske.
Das Hemd ist gelb.
Die Hose ist gelb.
Die Schuhe sind gelb oder braun,
die Handschuhe auch.

## 6. Wir üben das Programm

Hereinspaziert!
Hereinspaziert!
Ihr Leute klein
und groß!

Sultan!
Mach Männchen!

Übt das ganze Programm.

## 7. Wir spielen Zirkus

Hereinspaziert!
Hereinspaziert!

Spielt das Programm für eine
andere Klasse.

# Wir feiern Geburtstag

## 1. Ich habe bald Geburtstag

- Du, Mami, ich habe doch bald Geburtstag.
- Ja, ich weiß. Am Freitag.
- Ich möchte meine Freunde einladen.
- Aha.
- Na ja. Darf ich eine Party machen?
  Bitte, bitte, bitte!
- Eine Party? Na, ich weiß nicht.
- Ach, Mist!

## 2. Viele Wünsche

- Du, Papi! Ich möchte ein Fahrrad, einen Gameboy, eine Eisenbahn und Rollschuhe.
- Wie bitte?
- Ich habe doch bald Geburtstag.
- Ja schon! Aber so viele Sachen!
- Na gut. Ich wünsche mir ein Fahrrad.
- Mal sehen.

Ebenso mit: Ich möchte – Ich wünsche mir

| einen | ein | eine | —— |
|---|---|---|---|
| Gameboy | Fahrrad | Eisenbahn | Rollschuhe |
| Fußball | Puppenhaus | Puppe | Schier |
| Kassettenrekorder | Skateboard | Uhr | Schlittschuhe |
| Hund | Pony | Katze | Ohrringe |

## 3. Hören

a) Malt Bildkarten. Macht auch Punkte.
b) Bildkarten verteilen. Hör zu und zeig die Bildkarten.
c) Hör zu und zeig auf die Wörter oben.

## 4. Nachsprechen

Hör zu und sprich genau nach.

## 5. Ratespiel

Hängt die Bildkarten so an die Tafel:

| Ich wünsche mir | | | |
|---|---|---|---|
| 1 | 2 | 3 | 4 |
| einen | ein | eine | — |

● Ich wünsche mir einen SIMSALABIM. Ratet mal.

■ Einen Gameboy?

● Nein.

▲ Einen Hund?

● Ja, richtig.
Du bist dran.

## 6. Tamburinspiel

Ich wünsche mir 🟡 Uhr.

Ich wünsche mir eine Uhr.

## 7. Spiel: Eins, zwei, drei oder vier

Sechs Kinder stehen in einer Reihe an der Tafel. Bildkarten umdrehen. Du kannst die Bilder nicht mehr sehen.

Ich wünsche mir 🟡 Puppe.

1, 2, 3 oder 4?

Ein Kind sagt einen Tamburinsatz. Die Kinder springen an den richtigen Platz.

## 8. Lied: Ich wünsche mir ganz viel!

Ich ha-be bald Ge-burts-tag und ich wün-sche mir ganz viel. Ja, ich

wün-sche mir, ich wün-sche mir, ich wün-sche mir ganz viel. Ei-nen

Game-boy, ei-ne Pup-pe, ei-nen Fuß-ball und ein Fahr-rad, ei-nen

Hund und ei-ne Kat-ze, ei-nen Fül-ler und ein Buch. Pa-pi

sagt: „Das ist zu viel!" Ach, ich möch-te nur ein Spiel.

2. Ich habe bald Geburtstag
und ich wünsche mir …
Einen Kasperl, eine Hexe,
einen Besen und ein Kopftuch,
einen König, eine Krone,
einen Hut und ein Gespenst.
Papi sagt: „Das ist zu viel!"
Ach, ich möchte nur ein Spiel.

3. Einen _____ , eine _____ ,
    einen _____ und ein, _____ ,
    einen _____ eine _____ ,
    einen _____ und ein _____ .

Schreib noch eine Strophe.

# 9. Interview-Spiel

a) Sammelt Wörter an der Tafel und schreibt Zahlen davor.

| Was möchtest du? | | Ich möchte | |
|---|---|---|---|
| einen | ein | eine | —— |
| 1  Gameboy | 6  Fahrrad | 11  Eisenbahn | 16  Rollschuhe |
| 2  Hund | 7  Buch | 12  Krone | 17  Farbstifte |

b) So geht das Spiel:
Jedes Kind schreibt einen Satz auf ein Blatt.
Beispiel: Ich möchte ein Buch.
Die anderen dürfen den Satz nicht sehen.
Jetzt gehen alle Kinder mit dem Blatt und
einem Bleistift in der Klasse herum und fragen.

Roman sucht die Nummer an der
Tafel und schreibt: Julia 7
Wer als erster sechs Namen mit
Nummern hat, ruft:
Ich bin fertig.

# 10. Noch vier Tage!

● Noch vier Tage!

▪ Was?

● Na ja, noch vier Tage.

▪ Das verstehe ich nicht.

● Also. Heute ist Montag.
Ich habe am Freitag Geburtstag.
Noch vier Tage.

▪ Ach so!

## 1. Daniel ist traurig

■ Herr Müller! Daniel hat bald
Geburtstag.

▲ Ach ja? Wann denn?

● Am 15. November.

▲ Das ist ja schon am Freitag.

● Ja.

▲ Was ist denn los?
Warum bist du denn so traurig?

● Ich möchte eine Party machen.
Aber ich darf nicht.

▲ Ach so!

## 2. Wann hast du Geburtstag?

| am | | | |
|----|-----|-----------|----------|
| | 1. | ersten | Januar |
| | 2. | zweiten | Februar |
| | 3. | dritten | März |
| | 4. | vierten | April |
| | 5. | fünften | Mai |
| | 6. | sechsten | Juni |
| | 7. | siebten | Juli |
| | 8. | achten | August |
| | 9. | neunten | September |
| | 10. | zehnten | Oktober |
| | 11. | elften | November |
| | 12. | zwölften | Dezember |
| | 13. | dreizehnten | |
| | ... | | |
| | 20. | zwanzigsten | |
| | 21. | einundzwanzigsten | |
| | 22. | zweiundzwanzigsten | |
| | ... | | |
| | 30. | dreißigsten | |
| | 31. | einunddreißigsten | |

## 3. Nachsprechen

Hör zu und sprich genau nach.

## 4. Hören.

a) Hör zu und zeig auf die Wörter.

b) Hör zu und schreib auf.
Du hörst: *am dritten Mai*
Du schreibst: *am 3. Mai*

# 5. Ratespiel: Geburtstag

a) Wann hast du Geburtstag? Schreib auf ein Blatt.
   Schreib auch deinen Namen.

> Ich habe am 17. März
> Geburtstag.
> Josef

Acht Kinder lesen ihre Sätze vor.

> Ich habe am 17. März Geburtstag.

b) Ein Kind sammelt diese acht Blätter ein.

> Er hat am 17. März Geburtstag.
> Wer ist das?

> Peter?

> Manuel?

> Josef!

> Richtig.

# 6. Lesegeschichte: Eine Überraschung

Mami: Hört mal! Daniel hat doch am
      Freitag Geburtstag.
Papi: Ja, richtig!
Mami: Ich möchte eine Party machen.
      Aber Daniel weiß das nicht.
Vera: O, toll! Eine Überraschungsparty!
Mami: Vera, kannst du die Freunde
      einladen?
Vera: Klar!
Papi: Und ich mache die Dekoration,
      Luftballons und so. Und die Spiele.
Mami: Gut. Was brauchen wir denn noch?
Vera: Kuchen, Limo, …
Mami: Essen und Trinken. Vera, das
      machen wir zusammen.
      Und nicht vergessen! Das ist eine
      Überraschung!
Papi: Ja, klar.
Vera: Pst, pst!

Lies die Fragen und such die Antworten
in der Geschichte.

a) Wer möchte eine Party machen?
b) Wer macht die Dekoration?
c) Was kann Vera machen?
d) Die Party ist eine Überraschung. Warum?

## 7. Einladung

**Einladung!**

Liebe Susi,
Daniel hat am 15. November Geburtstag.
Wir machen am Freitag um drei Uhr
eine Überraschungsparty. Kommst du?
Ruf bitte an. Telefon 833125
Gruß Vera

Vera möchte noch
Maria, Julia, Sabine,
Anna, Fabian, Marco,
Tobias, Boris und Martin
einladen.
Schreib Einladungskarten.
Liebe Anna,
oder
Lieber Fabian,

## 8. Telefon

a)

● Vera Fischer.
▢ Hallo, Vera. Hier ist Susi.
● Hallo, Susi. Na, kommst du?
▢ Ja, klar.

Ebenso mit: Maria, Julia, Anna, Fabian, Marco, Tobias und Boris.

b)

● Vera Fischer.
▢ Hallo, Vera. Hier ist Martin.
● Hallo, Martin. Na, kommst du?
▢ Tut mir Leid. Ich kann nicht.
● Warum denn nicht?
▢ Ich bin krank.
● Schade.

Ebenso mit: Sabine

## 9. Hörgeschichte: Partyvorbereitung

a) Hör zu. Was gibt es auf der Party?

Hamburger    Pizza    Spagetti    Würstchen mit Kartoffelsalat    Pommes frites

b) Hör noch einmal zu. Was gibt
es auf der Party? Schreib die
Buchstaben auf den Block.

c) Schreib die Liste richtig.

| A Geburtstagstorte | E Würstchen | I Limonade |
| B Schokolade | F Kartoffelsalat | J Spitzer |
| C Löwen | G Wasser | K Eis |
| D Kuchen | H Saft | L Besen |

# 1. Die Überraschungsparty

# 2. Lied: Alles Gute, viel Glück!

Al - les Gu - te, viel Glück! Al - les Gu - te, viel Glück! Zum Ge -

burts - tag, lie - ber Da- niel, al - les Gu - te, viel Glück!

Tanti auguri a te!
Tanti auguri a te!
Tanti auguri, caro Daniel.           Cumpleaños feliz!
Tanti auguri a te!                        Cumpleaños feliz!
                                                  Te deseamos todos           Happy birthday to you!
                                                  Cumpleaños feliz!             Happy birthday to you!
                                                                                          Happy birthday, dear Daniel.
                                                                                          Happy birthday to you!

## 3. Hörgeschichte: Wir feiern

Hör die Geschichte. Ordne die Bilder. Schreib die Buchstaben auf den Block.

## 4. Wir spielen „Schokolade essen"

Ihr braucht: eine Mütze , einen Schal , Handschuhe , Schokolade ,
Papier , Schnur , Messer und Gabel und einen Würfel .

Die Schokolade in das Papier einwickeln und die Schnur herumbinden.

So geht das Spiel:
1. Jeder würfelt. Hast du eine Sechs? Du musst die Mütze aufsetzen, die Handschuhe anziehen und den Schal umbinden.
2. Dann musst du mit Messer und Gabel die Schnur aufschneiden, das Papier aufmachen und die Schokolade essen. Immer mit Messer und Gabel!
3. Die anderen würfeln schnell weiter. Wer hat die nächste Sechs? Du musst die Sachen ausziehen und Mütze, Schal, Handschuhe, Messer, Gabel und Schokolade mit Papier und Schnur weitergeben.
4. Der andere setzt die Mütze auf, zieht die Handschuhe an, bindet den Schal um, nimmt Messer und Gabel …

## 5. Was hast du bekommen?

- ▪ Was hast du denn bekommen?
  Lass mal sehen!
- ● Also: Ein Buch von Vera, eine Hose
  und einen Malkasten von Mami und Papi.
- ▲ Ach, Daniel, wir haben ja noch was.
- ● Was denn?
- ◆ Komm doch mal!
- ● Ein Fahrrad! Danke, Mami! Danke, Papi!

## 6. Spiel: Was hast du bekommen?

Legt Bildkarten verdeckt auf den Tisch.
So geht das Spiel:
Du sagst: *Ich wünsche mir einen Walkman.* Du nimmst eine Karte.

oder

*Was hast du bekommen?*

*Einen Walkman.*

*Ich wünsche mir eine Uhr.*

*Was hast du bekommen?*

*Eine Puppe.*

Du darfst die Karte nehmen
und noch mal spielen.

Du musst die Karte wieder
hinlegen. Das nächste Kind ist dran.

## 7. Spiel: Geburtstagsgeschenke

Das erste Kind sagt:  *Ich habe ein Buch bekommen.*
Das zweite Kind sagt: *Ich habe ein Buch und eine Hose bekommen.*
Das dritte Kind sagt: *Ich habe ein Buch, eine Hose und …*

## 1. Der Geburtstagskalender

Macht einen Kalender.

a) Schreibt oben die Monate: Januar, Februar, März, …
   Schreibt an der Seite das Datum.

| | Januar | Februar | März | April | Mai | Juni | Juli | August |
|---|---|---|---|---|---|---|---|---|
| 1. | | Maria ♥ | | | | | | |
| 2. | Tobias ✿ | | | | | | | |
| 3. | | | | | | | | |

*Geburtstagskalender*

b) Wann hast du Geburtstag? Schreib deinen Namen in den Klassenkalender.

c) Schreib eine Einladungskarte zu deinem Geburtstag.

## 2. Ich wünsche mir …

Schreib auf ein Blatt:

Mal ein Bild dazu.

> Ich habe am … Geburtstag.
> Ich wünsche mir …

## 3. Die Klassenzeitschrift

Sammelt alle Blätter, zuerst den Geburtstagskalender, dann eure Geburtstagswünsche
und die Einladungskarten und legt auch die besten Liedstrophen von „Ich wünsche mir
ganz viel!" dazu.
Macht ein Titelblatt.

Heftet alle Blätter zusammen.
Tamburin 2 ist fertig.

# Schule, bei uns und anderswo

## 1. Hörgeschichte: Der Neue

a) Hör zu und schau die Bilder an.

b) Hör noch einmal zu und beantworte die Fragen.
   1. Wie heißt der Neue?
   2. Woher kommt der Neue?
   3. Wann kommt der Neue? Am Montag?
      Am Dienstag? Am Mittwoch? …
      Schau im Stundenplan unten nach.

## 2. Der Stundenplan

|  | Montag | Dienstag | Mittwoch | Donnerstag | Freitag |
|---|---|---|---|---|---|
| 1. | Heimat- und Sachkunde (HSK) | Musik | Religion | Sport | Deutsch |
| 2. | Kunst- (erziehung) | Mathematik | Deutsch | Sport | Deutsch |
| 3. | Deutsch | Deutsch | HSK | Mathematik | Mathematik |
| 4. | Mathematik (Mathe) | HSK | Mathematik 3+4= | Deutsch | HSK |
| 5. | Textilarbeit/ Werken | Religion | Sport | Deutsch | Musik |
| 6. | Textilarbeit/ Werken |  | Sport | Religion |  |

Mal den Stundenplan.

|  | Montag | Dienstag | Mittwoch | Donnerst |
|---|---|---|---|---|
| 1. |  |  |  |  |
| 2. |  |  |  |  |

## 3. Nachsprechen

a) Hör zu, zeig auf die Bilder im Stundenplan und sprich nach.

b) Hör zu, sprich nach und klatsch mit.

c) Hör zu und rate: Welches Wort ist das?

## 4. Lied: Na so was!

Am Mon - tag ha-ben wir Ma - the, und in Ma - the rech-nen wir.

Was macht ihr in Ma - the? Ihr rech - net? – Na so was! Bei

uns, da ist das an - ders: In Ma - the sin - gen wir.

2. Am Donnerstag haben wir Sport,
   und in Sport, da turnen wir.
   Was macht ihr in Sport?
   Ihr turnt? – Na so was!
   Bei uns, da ist das anders:
   In Sport, da schreiben wir.

3. Am Mittwoch haben wir Deutsch, …

   Mach weitere Strophen.

## 5. Mein Stundenplan

a) Hast du die gleichen Fächer? Wie heißen die Fächer bei dir?
   Schreib und mal deinen Stundenplan. Schreib als Titel „Mein Stundenplan".
   Das ist das erste Blatt für die neue Klassenzeitschrift.

b) Schreib eine Strophe zum Lied „Na so was!" mit deinem Stundenplan.

## 6. Spiel: Alle Fächer fliegen hoch!

a) Alle Kinder klopfen leise mit den Fingern auf den Tisch.
   Die Lehrerin/der Lehrer sagt: *Am Montag in der ersten Stunde haben wir Sport.*
   Ist der Satz richtig? Du hebst die Hände.
   Ist der Satz falsch? Du klopfst weiter. Schau in deinem Stundenplan nach.

b) Spielt das gleiche Spiel. Aber du darfst nicht mehr im Stundenplan nachschauen.

## 7. Kimspiel: Was ist falsch?

Macht den Klassenstundenplan groß an die Tafel. Schreibt alle Unterrichtsstunden auf Karten und hängt sie an die richtige Stelle. Alle Kinder machen die Augen zu. Ein Kind tauscht zwei Stunden aus. Augen auf!

*Was ist falsch?*

*Am Montag in der dritten Stunde haben wir …
Und am Freitag in der ersten Stunde …*

## 8. Hörgeschichte: Ich kann zaubern!

a) Hör zu und schau die Bilder an.

**❶**

**❷**

**❸**

**❹**

b) Hör noch einmal zu.
Nun lies die Sätze unten. Zu welchen Bildern passen die Sätze?
Schreib die Nummern und die Buchstaben auf den Block.

**(A)** ▪ In der fünften Stunde haben
wir Textilarbeit.
▲ Textilarbeit? Was muss ich
da machen?

**(B)** ▪ Du musst stricken, stricken,
stricken.
▲ Nein! Ich kann zaubern!
Hokus pokus. Wir haben Sport.

**(C)** ▪ Du musst stricken.
▲ Was? Ich möchte nicht stricken.
Ich habe keine Lust.

**(D)** ▪ In der fünften Stunde haben
wir Sport.
▲ Ich mag Sport. Ich turne gern.
Sport ist toll.

c) Hört die Szene, sprecht nach und
spielt pantomimisch mit.

d) Spielt die Szene.

e) Schreib die Sätze richtig in dein Heft.

f) Spielt die Szene mit anderen Fächern.
Mathe – rechnen, Kunst – malen

## 9. Lied: Wir haben heute Kunst

Wir ha - ben heu - te Kunst, und Kunst mag ich gern. Ich darf

ma - len, ma - len, ma - len, ma - len. Ja, das kann ich rich - tig gut.

1. ⭐ Wir haben heute Kunst,
   ▼ und Kunst mag ich gern.
   ▲ Ich darf malen, malen, malen, malen.
   ◆ Ja, das kann ich richtig gut.

   2. ⭐ Wir haben heute Sport,
      ▼ aber Sport mag ich nicht.
      ▲ Ich muss turnen, turnen, turnen, turnen.
      ◆ Und ich weiß nicht, wie das geht.

3. ⭐ Wir haben heute Mathe ...

Schreib neue Strophen. In jeder Zeile kannst du etwas verändern.
Du kannst die Teile selbst aussuchen.

⭐ Wir haben heute ... (Deutsch / Musik /...)

▼ und ... mag ich gern.
▲ Ich darf ...
◆ Ja, das mache ich sehr gern.
Ja, das finde ich ganz toll.
Ja, das finde ich interessant.

▼ aber ... mag ich nicht.
▲ Ich muss ...
◆ Ach, das mache ich nicht gern.
Ach, das finde ich so doof.
Ach, wie langweilig und doof!

Sammelt die Strophen für die Klassenzeitschrift.

## 10. Mein Wunschstundenplan

a) Planetino sagt:
   So wünsche ich mir
   meinen Stundenplan.

b) Welche Fächer magst du gern?
   Schreib auch deinen
   Wunschstundenplan.

|  | Mo | Di | Mi | Do | Fr |
|---|---|---|---|---|---|
| 1. | Kunst | Sport | Kunst | Musik | Kunst |
| 2. | HSK | Kunst | HSK | Kunst | Musik |
| 3. | HSK | Musik | Sport |  |  |

Ich möchte acht Stunden Kunst,
am Montag in der ersten Stunde,
am Dienstag ...
Ich mag Kunst.
Kunst finde ich toll.

## 1. Die Schule ist gleich aus

- Wie spät ist es?
- Zwanzig vor eins.

- Du! Wie spät ist es jetzt?
- Viertel vor eins.
- Aha!

- ...
- ...

- He! Wie spät ist es jetzt?
- Fünf vor eins.
- Super!
- Warum?
- Die Schule ist gleich aus. Und wir haben noch keine Hausaufgaben bekommen.
- Ja, richtig!
- ▲ Kinder! Es ist gleich eins.
  Schreibt bitte die Hausaufgaben auf.
- Mist!

## 2. Wir basteln eine Uhr

Material: Karton, Korken, Stecknadel

Zifferblatt aus
Karton ausschneiden

Zahlen eintragen

zwei Zeiger zeichnen
und anmalen

Zeiger aus Karton
ausschneiden

die Stecknadel durch
die Zeiger und das
Zifferblatt stecken

die Stecknadel hinten
in den Korken stecken

## 3. Hören

Hör zu und zeig mit.

5 nach 12

10 nach 12

Viertel nach 12

20 nach 12

5 vor 12

10 vor 12

Viertel vor 12

20 vor 12

halb 12

5 vor halb 12

5 nach halb 12

## 4. Nachsprechen

Hör zu, sprich nach und stell die Zeit an deiner Uhr ein.

## 5. Hörgeschichte: Und wann macht Stefan Hausaufgaben?

a) Hör zu und schau die Uhren und die Bilder an.

b) Hör noch einmal zu.
Was passt zusammen?
Schreib die Nummern und die Buchstaben auf den Block.

c) Hör noch einmal zu und stell an deiner Uhr ein.

d) Beantworte die Fragen:
Stefan geht Fußball spielen. Wie spät ist es?
Er hat Gitarrenstunde. Wie spät ist es?
Er muss Hausaufgaben machen. Wie spät ist es?

## 6. Zungenbrecher

Es ist fünf vor halb fünf.
Es ist zehn nach zehn.
Es ist zwanzig nach zwölf.

Wer kann die Sätze ganz schnell mehrmals hintereinander sprechen?
Schreib selbst Zungenbrecher.

## 7. Ratespiel: Wie spät ist es?

*Wie spät ist es?*

Ein Kind stellt eine
Uhrzeit ein.

Es dreht die Uhr einmal
ganz schnell um.

Die anderen raten.

## 8. Uhren-Memory

a) Schreibt und zeichnet Uhrzeiten auf Karten.

b) Spielt Memory und sprecht die Uhrzeiten laut.

Viertel
vor elf

halb
zwei

## 9. Partnersuchspiel

So geht das Spiel:
Jedes Kind hat eine Karte
aus dem Memory-Spiel.
Alle Kinder gehen durch die
Klasse, sprechen leise den
Satz und suchen das Kind
mit der passenden Karte.

*Es ist Viertel vor elf.*

*Es ist halb zwei.*

*Es ist halb zwei.*

*Es ist Viertel vor elf.*

## 1. So oder so?

a) Hör zu und schau die Bilder an.

b) Hört die Szenen noch einmal
und spielt pantomimisch mit.

c) Sprecht und spielt die Szenen.

▲ Nimm bitte einen Bleistift.
Anna, hast du keinen Bleistift?

■ Tut mir Leid. Ich habe meinen
Bleistift zu Hause vergessen.

▲ Was? Schon wieder?
So geht das nicht!

▲ Nimm bitte einen Bleistift.
Anna, hast du keinen Bleistift?

■ Tut mir Leid. Ich habe meinen
Bleistift zu Hause vergessen.

▲ Das macht nichts.
Hier! Nimm meinen Bleistift.

Ebenso mit:

| einen<br>keinen<br>meinen | ein<br>kein<br>mein | eine<br>keine<br>meine | —<br>keine<br>meine |
|---|---|---|---|
| Pinsel | Lineal | Schere | Farbstifte |

## 2. Spiel: Ich möchte ...

Die Klasse in zwei Gruppen teilen. Jede Gruppe bereitet die gleichen Sachen vor:
einen Block, einen Bleistift, ein Lineal, ...
Jedes Kind nimmt einen Gegenstand. Die beiden Gruppen stehen nebeneinander vor
dem Lehrer. (Später macht ein Schüler weiter.)

Zwei Kinder laufen los. Welche Gruppe ist schneller? Ein Punkt.

Jetzt darf kein Kind laufen.

## 3. Ratespiel: Hast du einen …?

Alle Kinder sitzen im Kreis. In der Mitte liegen verschiedene Sachen,
zum Beispiel zwei Füller, drei Radiergummis, vier Spitzer, …
Ein Kind steht in der Mitte und macht die Augen zu.
Jedes Kind nimmt einen Gegenstand. Augen auf! Das Spiel geht los.

Hast du einen Füller?
Tut mir Leid. Ich habe keinen Füller.
Hast du einen Spitzer?
Ja.
Du bist dran.

## 4. Was brauchen wir denn?

a)
● Was haben wir denn jetzt?
▪ Kunst.
● Was brauchen wir denn da?
▪ Einen Zeichenblock, einen Malkasten und einen Pinsel.
● Au weia! Ich habe einen Zeichenblock und einen Malkasten, aber keinen Pinsel.
▪ Hier! Nimm den da!
● Danke.

Ebenso mit: Mathe (Heft, Bleistift, Lineal) – HSK (Füller, Schere, Farbstifte)

| einen / keinen den | ein / kein das | eine / keine die | — / keine die |
|---|---|---|---|
| Bleistift Füller | Lineal Heft | Schere | Farbstifte |

b) Und in Planetanien?
Macht Dialoge wie oben.

● Was haben wir …?
▪ Mathe.
● Was brauchen …?
▪ Einen Fußball, einen Hut und eine Turnhose.
● Au weia! Ich habe einen …

Wer macht den schönsten Quatsch?

## 1. Lesegeschichte: In Planetinos Schule

(1) Planetino und Anna sind in Planetanien angekommen.

(2) Planetino zeigt Anna die Schule. „Sieh mal, Anna, das ist meine Klasse", sagt Planetino.

(3) Da sind viele Leute. „Wer ist das denn?", fragt Anna. Planetino erklärt: „Das ist Planetarius, mein Deutschlehrer. Der da ist mein Mathelehrer. Er heißt Planetagoras. Und die Frau da ist die Musiklehrerin, Planetania. Und da sind noch Planetarofix, der Sportlehrer, ach, und noch viele andere Lehrer."
Anna fragt: „Wo sind denn die Schüler!"
„Na hier!", antwortet Planetino.
„Was? Das verstehe ich nicht. Das sind doch Lehrer", sagt Anna. „Das ist doch ganz einfach", sagt Planetino.
„Heute sind die Lehrer die Schüler."

**A**

**B**

(4) „Wie bitte?", fragt Anna. „Und wer macht den Unterricht?"
„Ich", sagt Planetino und lacht.
„Immer am Mittwoch."

**D**

**C**

Ordne die Bilder.
Schreib die Buchstaben auf den Block.

## 2. Darf ich?

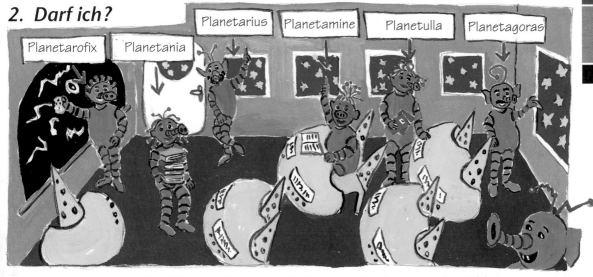

Planetarofix   Planetania   Planetarius   Planetamine   Planetulla   Planetagoras

a) Hör zu und schau das Bild an. Wer spricht? Zeig auf die Personen im Bild.

b) Hört die Szenen einzeln und macht pantomimisch mit.

c) Hört die Szenen noch einmal und sprecht nach.

d) Sprecht und spielt die Szenen.

e) Lies die Fragen und schau das Bild oben an. Wer sagt das?

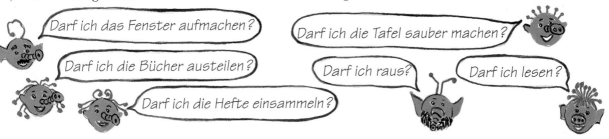

Darf ich das Fenster aufmachen?

Darf ich die Tafel sauber machen?

Darf ich die Bücher austeilen?

Darf ich raus?

Darf ich lesen?

Darf ich die Hefte einsammeln?

f) Mach ein Comic: Zeichne einen planetarischen Lehrer wie oben im Bild und schreib in die Sprechblase, was er sagt.

## 3. Malwettbewerb: Schule bei uns und in Planetanien

Malt Bilder: Wie sieht die Schule bei uns und in Planetanien aus?
Schreib auch einen Satz.

| | |
|---|---|
| Das ist meine Schule. | Das ist eine Schule in Planetanien. |
| Das ist mein Klassenzimmer. | Das ist ein Klassenzimmer in Planetanien. |
| Das ist mein Lehrer. | Am Mittwoch ist Planetino der Lehrer. |
| Das ist meine Lehrerin. | Planetania ist die Musiklehrerin. |
| Heute haben wir Sport. | So machen die Schüler in Planetanien Sport. |

## 4. Die Klassenzeitschrift

Sammelt für die Nummer 3 „Schule, bei uns und anderswo": deinen Stundenplan, die Strophen zu den Liedern „Na so was!" und „Wir haben heute Kunst", deinen Wunschstundenplan, den Uhrzeit-Zungenbrecher, die Planetanien-Comics und die Bilder aus dem Malwettbewerb.

## 5. Schule anderswo

Schau die Bilder an.

Woher kommen die Schüler?
Wie alt sind die Schüler?
Wo sieht die Schule anders aus?
Was haben die Schüler heute?

# Flohmarkt

## 1. Ich sammle doch!

● Wie sieht es denn hier aus?
Also, Florian, so geht das nicht!
Du musst dein Zimmer aufräumen.

■ Ach, Mami!

● Was ist das denn?

■ Das sind meine Steine.

● Steine? Jeden Tag bringst du was
anderes nach Hause.

■ Aber ich sammle doch Steine.

● O je!

Ebenso mit: Murmeln   Muscheln

## 2. Lied: Ich sammle …

Ich samm-le,   ich samm-le,   al-les, al-les, al-les, was ich fin-den kann. Ich

samm-le,   ich samm-le,   al-les,  al-les, was  es      gibt.      Ich

hab' schon vie - le  Stei - ne.     Seht   doch mal   her!     Ich

hab' schon vier-und-drei-ßig Stück und    möch-te noch viel   mehr.

2. Ich sammle, …
Ich hab' schon viele Murmeln. Seht doch mal her!
Ich hab' schon 45 Stück und möchte noch viel mehr.

Macht weitere Strophen.

22 Autos   56 Figuren  … Muscheln  … Comics

… Ringe   … Sticker  … Bilder  … Briefmarken

## 3. Spiel: Alle sammeln

Toni sagt:   Ich sammle Comics.
Anna sagt:  Toni sammelt Comics und ich sammle Puppen.
Ralf sagt:   Toni sammelt Comics, Anna sammelt Puppen und ich sammle …

## 4. Möchtest du mal sehen?

● Du, ich sammle Dinosaurier.
  Möchtest du mal sehen?

▢ Ja klar.

● Hier! Der Dino ist toll.

▢ Ach, den habe ich auch.

Ebenso mit:

| Sticker/Ringe | Comics/Autos | Briefmarken/Figuren |
|---|---|---|
| der – den | das – das | die – die |
| Sticker | Comic-Heft | Briefmarke |
| Ring | Auto | Figur |

## 5. Ratespiel

Verschiedene Gegenstände vorbereiten: einen Stein, einen Ring,
ein Bild, ein Auto, eine Murmel, …
Die Klasse in drei Gruppen teilen. Die Kinder aus der Gruppe 1
nehmen die Gegenstände. Gruppe 1 fragt: *Wo ist …?*

*Gruppe 2, wo ist der Ring?*

*Robert hat den Ring.*

*Nein.*

Jetzt ist Gruppe 3 dran. Gruppe 3
bekommt die nächste Frage.

*Gruppe 3, wo ist das Auto?*

*Ute hat das Auto.*

*Richti*

Gruppe 3 bekommt einen Punkt.
Gruppe 2 ist wieder dran.

## 6. Lesegeschichte: So viele Bilder!

Florian: Mann, du hast ja viele Bilder!
         Wie viele hast du denn?

Jörg:      90, 95, 100? Ich weiß nicht genau.
         Ich sammle alles: Fußballspieler, Tennisspieler,
         Schifahrer, Rennfahrer, alles.

Florian: Zeig doch mal!
         Oh, Michael Schuhmacher! Der ist ja toll!

Jörg:      Den habe ich sogar zweimal.

Florian: Und ich habe Anke Huber zweimal.

Jörg:      Die habe ich gar nicht. Tauschen wir?

Florian: Ja klar.

Lies die Geschichte. Nun schau die Bilder an.
Was sagen die Jungen auf den Bildern?
Such die Sätze in der Geschichte.

## 7. Tauschen wir?

Vorbereitung: Aus Zeitschriften und Comics Figuren ausschneiden und auf Kärtchen
aufkleben, z.B. Asterix, Sportler, Rock-Musiker. Die gleichen Figuren müssen immer
zweimal vorkommen. Immer zwei Kinder haben die Kärtchen und spielen die Szene.

●   Oh, Asterix! Der ist ja …
▢   Den habe ich sogar zweimal!
●   Und ich habe Micky Maus zweimal.
    Tauschen wir?
▢   Ja klar.

lustig / toll / Klasse / super / Spitze

# 1. Hörgeschichte: Alte Sachen verkaufen

Am Sonntag
um 10 Uhr
Flohmarkt
in Olching

a) Hör den ersten Teil der Geschichte.
   Lies die Sätze. Was ist richtig? Was ist falsch?

   1. Am Samstag ist Flohmarkt.
   2. Florian möchte viele Sachen verkaufen.
   3. Die ganze Familie möchte zum Flohmarkt gehen.
   4. Papi, Mami und Steffi möchten keine Sachen verkaufen.

b) Hör die Geschichte weiter.
   Schau das Bild an und zeig auf die Sachen.

c) Platzwechselspiel: Die Klasse steht im Kreis.
   Immer zwei Kinder gegenüber merken sich das gleiche Wort aus dem Bild.
   Nun hört noch einmal die ganze Geschichte. Hörst du dein Wort?
   Dann musst du mit dem anderen Kind Platz tauschen.

## 2. Was möchtest du verkaufen?

▲ Sieh mal, der Pulli da.
  Den möchte ich verkaufen.
▪ Warum denn?
▲ Er passt mir nicht mehr.

● Das Hemd da mag ich nicht mehr.
▪ Warum denn nicht?
● Es gefällt mir einfach nicht mehr.

▼ Hier, die Jacke können wir verkaufen.
▪ Warum denn?
▼ Sie ist mir zu klein.

Ebenso mit:

| der / den | das | die |
|---|---|---|
| Pulli | Hemd | Jacke |
| Mantel | Kleid | Hose |
| Rock | T-Shirt | Bluse |
| er | es | sie |

## 3. Reim

Ich möchte den Mantel verkaufen.
Aber den magst du doch gern!
Er passt mir nicht mehr.
Er gefällt mir nicht mehr.
Und er ist nicht mehr modern.

Schreib noch andere Reime mit den Wörtern oben.
Sammelt die Reime für die Klassenzeitschrift.

## 4. Warum-Spiel

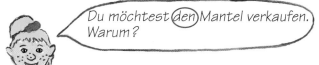

Du möchtest den Mantel verkaufen. Warum?

Die Klasse in Gruppen einteilen.
Ein Kind sagt eine Frage, zum Beispiel:

Nun schreiben alle Gruppen Antworten auf blaue Karten:

Er ist nicht mehr modern.

Er gefällt mir nicht mehr.

Diese Sätze kannst du schreiben.

| | | |
|---|---|---|
| … ist nicht mehr modern. | … ist mir zu lang. | … gefällt mir nicht mehr. |
| … ist mir zu kurz. | … passt mir nicht mehr. | |
| … ist mir zu alt. | … ist mir zu klein. | … ist doof. |
| … ist mir zu groß. | … ist langweilig. | |

Welche Gruppe schreibt die meisten richtigen Antworten? Lest vor.

Heißt die Frage

Du möchtest das Fahrrad verkaufen. Warum?

, dann musst du die Antwort auf grüne Karten schreiben:

Es …

Heißt die Frage

Du möchtest die Puppe verkaufen. Warum?

, dann musst du die Antwort auf rote Karten schreiben:

Sie …

Sieger ist immer die Gruppe mit den meisten richtigen Antworten.
Kannst du auch Quatsch machen?

## 5. Ratespiel

a) Schreibt Wortkarten zu Kleidung, Spielsachen, Körperteilen, Schulsachen, … Jedes Wort nur einmal!

b) Legt die Wortkarten in die richtigen Schachteln. Blau, grün oder rot?

c) Legt die Antwortkarten des Warum-Spiels bereit.

d) So geht das Spiel:

● Ich möchte den SIMSALABIM verkaufen.
◻ Den Pulli?
● Nein.
▲ Den Kopf?
● Ja.

Warum denn?

Er gefällt mir nicht mehr.

Er gefällt mir nicht mehr.

# 1. Das Flohmarkt-Lied

Ich ver - kau - fe, ich ver - kau - fe al - les, was ich fin - den kann.

Ich ver - kau - fe, ich ver - kau - fe al - les, was ich hab'. Ich

ha - be vie - le Co - mics. Kommt doch mal her! Drei - ßig Cent

kos - tet nur das Stück, und ich ha - be noch viel mehr.

2. Ich verkaufe, ich verkaufe alles, was …
   Ich habe viele Bücher. Kommt doch mal her!
   Achtzig Cent kostet nur das Stück, …

Stück 0,40 EUR

Stück 0,05 EUR

Stück 0,80 EUR

Stück 0,30 EUR

Stück 0,20 EUR

Stück 2,70 EUR

Schau das Bild an und mach weitere Strophen.

| ein Cent | zwei Cent | fünf Cent | zehn Cent | zwanzig Cent |
|---|---|---|---|---|
|  |  |  | 0,10 EUR | 0,20 EUR |

| fünfzig Cent | ein Euro | zwei Euro |
|---|---|---|
| 0,50 EUR | 1,00 EUR | 2,00 EUR |

| fünf Euro | zehn Euro | zwanzig Euro | fünfzig Euro | hundert Euro |
|---|---|---|---|---|
| 5,00 EUR | 10,00 EUR | 20,00 EUR | 50,00 EUR | 100,00 EUR |

## 2. Nachsprechen

Hör zu, zeig auf das Geld unter dem Lied und sprich nach.

## 3. Hören

a) Hör die Fragen, schau
auf das Bild und antworte.

b) Was kannst du kaufen?
Hör zu, schau die Preise
auf dem Bild an und antworte.

## 4. Spiel: Mehr oder weniger?

a) Macht Spielgeld.

b) So geht das Spiel:
Ein Kind nimmt so viel Spielgeld, wie es möchte.
Die anderen dürfen das Geld aber nicht sehen.

● Ich habe SIMSALABIM.
▢ 10 Euro?
● Mehr.
■ 15 Euro?
● Weniger.
▲ 14 Euro?
● Mehr.
■ 14 Euro 50?
● Richtig. Du bist dran.

## 5. Schätzspiel: Wer kommt am nächsten an den Preis?

Die Klasse in sechs Gruppen einteilen. Ein Kind nimmt eine Wortkarte aus dem Ratespiel
B 5, zum Beispiel Auto und schreibt einen Preis auf, zum Beispiel 1,60 EUR

*Was kostet das Auto?*

Jede Gruppe schreibt einen Preis auf und liest vor.

| 1,30 EUR | 1,80 EUR | 1,00 EUR | 0,70 EUR | 1,40 EUR | 1,70 EUR |

*Das Auto kostet 1 Euro 60. Gruppe 6 hat gewonnen.*

## 6. Wir sind auf dem Flohmarkt

a) Schau die Bilder an und hör zu.

▲ Oh, sieh mal! Der hat Comics.

● Was kosten denn die Comics?

■ Fünfzig Cent.

▲ Na gut. Ich nehme das Micky-Maus-Heft und das Asterix-Heft.

■ Das macht einen Euro.

● Was kostet denn das Auto da?

△ Drei Euro.

● Wie bitte? Nein, das ist mir zu teuer.

△ Also gut, zwei Euro fünfzig.

● Zwei Euro?

△ Zwei Euro zwanzig.

● Gut. Ich nehme das Auto.

▲ Sieh mal, das T-Shirt.
Das ist ja toll.
Was kostet das denn?

▼ Vier Euro.

▲ Was? Das ist aber teuer.

▼ Dann nimm doch das da!
Das kostet nur drei Euro.

▲ Das gefällt mir aber nicht.

▲ Oh, die Kassetten kosten nur fünfzig Cent.

● Die sind aber billig.

▲ Da kaufe ich gleich fünf Stück.

b) Wo möchtest du einkaufen? Spiel die Szene mit deinem Partner.

c) Möchtest du etwas anderes kaufen? Spielt die Szenen mit anderen Wörtern und anderen Preisen.

d) Spielt auch Quatsch-Szenen.

e) Macht Comics für die Klassenzeitschrift. Zeichnet eine Flohmarkt-Szene und schreibt in die Sprechblase, was die Leute sagen.

# 7. Flohmarktspiel

**Spielvorbereitung:**
Ihr braucht Spielfiguren und Spielgeld. Jeder Spieler bekommt 10 EUR.
Ein Spieler hat die Kasse.

**Ziel des Spiels:**
Du musst mindestens dreimal einkaufen.
Am Schluss musst du noch mindestens 1,70 EUR haben.
Du musst genau zum Würstchenstand kommen und
dir für 1,70 EUR Würstchen kaufen.
Wer kauft als Erster Würstchen?

**So geht das Spiel:**
Mehrere Wege führen durch den Flohmarkt.
Du kannst dir den Weg selbst aussuchen.
Manche Felder sind blau (der), grün (das), rot (die) und gelb (die, Plural).
Wenn du auf ein Farbfeld kommst, musst du bei deinem rechten Mitspieler
einkaufen und das Geld in die Kasse legen. Schau das Bild neben dem Farbfeld an.

Sprich so:

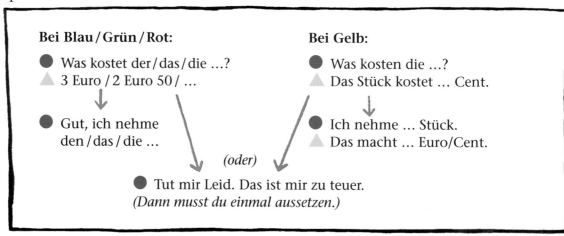

**Bei Blau / Grün / Rot:**
- Was kostet der / das / die ...?
▲ 3 Euro / 2 Euro 50 / ...

- Gut, ich nehme
  den / das / die ...

**Bei Gelb:**
- Was kosten die ...?
▲ Das Stück kostet ... Cent.

- Ich nehme ... Stück.
▲ Das macht ... Euro/Cent.

*(oder)*

- Tut mir Leid. Das ist mir zu teuer.
*(Dann musst du einmal aussetzen.)*

Bei diesem Feld: **?**

Hast du noch nicht dreimal eingekauft?
Dann musst du noch eine Runde spielen.

Hast du keine 1,70 EUR mehr?
Dann musst du nach Hause gehen,
10 EUR holen und von vorn anfangen.

Flohmarkt   10 EUR

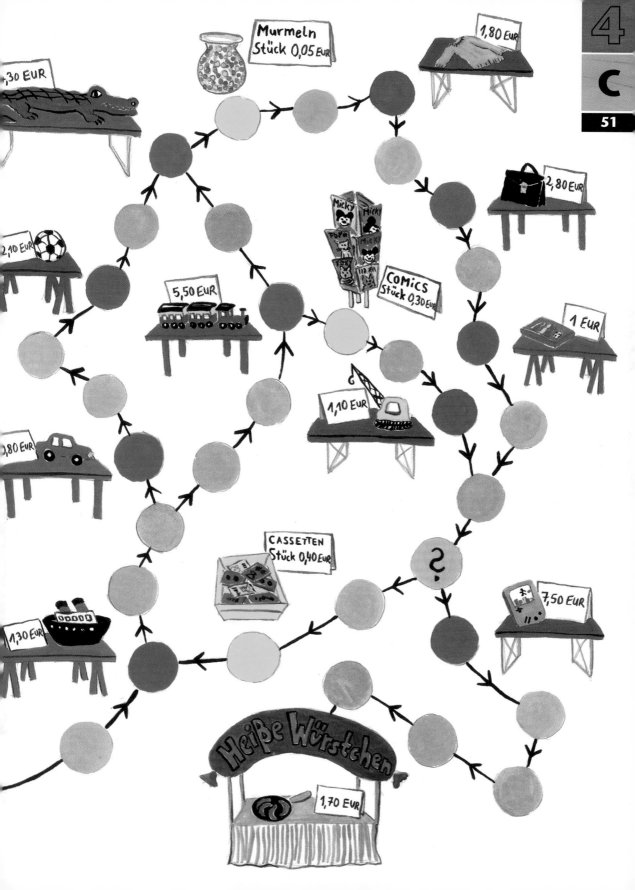

## 8. Florian schreibt einen Brief

Olching, den 20. …

Liebe Julia,

was machst du am Samstag? Ich möchte dich einladen. Du isst
doch gern 🍨 . Ich habe jetzt viel 💶 .

Am Sonntag war Flohmarkt. Ich war da und habe ganz viele Sachen
verkauft. Du weißt doch, ich sammle ⚽ , 🧸 , 🚗 ,
📚 und noch viele andere Sachen. 🐑 hat gesagt, das
ist zu viel. Also habe ich die Sachen verkauft:

zehn 🃏 , das Stück für ⑩ ⑩ ⑩ ,
dreißig 🏺 , das Stück für ⑤ ,
acht 🍄 , das Stück für ⑩ ⑩ ⑩ .
und noch fünf 📖 , das Stück für ㊿ ⑳ ⑩ .

So, jetzt bist du dran. Du musst rechnen. Wieviel 💶 haben wir
jetzt für 🍨 ? Also, tschüs bis Samstag.

Viele Grüße
        dein Florian

Verstehst du den Brief? Lies den Brief laut.

## 9. Julias Brief

München, den 22. …

Lieber Florian,

ich komme gern am … . Und ich esse auch gern 🍨 .
Aber so viel 🍨 kann ich gar nicht essen. Du hast ja … Euro!

Sag mal, wann ist denn wieder Flohmarkt in … ? Ich möchte auch
viele … verkaufen: zwei 🧍🧍 , 🏗 , …

Also, bis …
Viele Grüße
        deine …

a) Schreib Julias Brief. Was möchte sie alles verkaufen?

b) Julia geht auf den nächsten Flohmarkt und verkauft viele Sachen. Male das Bild.

## 10. Klassenzeitschrift

Sammelt für die Klassenzeitschrift: die Strophen der Lieder, die Reime,
die Flohmarkt-Comics, Julias Brief und das Bild „Julia auf dem Flohmarkt."

# Alle meine Tiere

## 1. Lesegeschichte: Conny hat Geburtstag

Conny hat am Mittwoch Geburtstag. „Also, Conny",
sagt die Mutter, „Was möchtest du zum Geburtstag?"
„Ach, Mami", sagt Conny, „Ich wünsche mir gar nichts."
„Was?", fragt die Mutter. „Gar nichts? Keine Puppe? Keine
Rollschuhe? Keinen Walkman?" „Nein", antwortet Conny.
„Ich wünsche mir gar nichts. Ich möchte nur einen Hund."
„Einen Hund? Na, ich weiß nicht", sagt die Mutter.

Heute ist Connys Geburtstag. Da ist eine Geburtstagstorte.
Und da sind viele Geschenke. Conny macht das erste
Geschenk auf: ein Pulli. Conny macht das zweite Geschenk
auf: eine Puppe. Sie macht das dritte Geschenk auf:
ein Buch „Mein Hund". „Ach", sagt Conny, „Jetzt habe
ich ein Hundebuch. Aber ich habe keinen Hund."
„Na ja", sagt Mami. „Lies das Buch genau. Vielleicht
bekommst du mal einen Hund. Dann weißt du schon
alles." „Ach so", sagt Conny.

Conny macht das vierte Geschenk auf: eine Hundeleine
und ein Halsband. „Ach", sagt Conny traurig, „Jetzt habe
ich eine Hundeleine und ein Halsband. Aber ich habe doch
keinen Hund." „Na ja", sagt Mami. „Vielleicht bekommst
du mal einen Hund. Dann hast du schon die Leine und
das Halsband." „Ach so", sagt Conny. Conny macht das
fünfte Geschenk auf: ein Hundenapf. „Ach", sagt Conny
traurig, „Jetzt habe ich auch einen Hundenapf. Aber ich
habe doch noch keinen Hund." „Na ja", sagt Mami.
„Vielleicht bekommst du mal einen Hund. Dann hast
du schon den Napf." „Ach so", sagt Conny.

Da kommt Papi. „Sieh mal, Conny",
sagt Papi, „Wir haben ja noch was."
Da steht er. Er ist klein, schwarz und ganz
lieb. Auch Conny steht da und schaut.
„Na, Conny", sagt Papi, „Möchtest du
deinen Hund nicht begrüßen?"
„Meinen Hund? Ist das wirklich
mein Hund?" „Ja klar", lacht Papi.
Conny nimmt den Hund auf den Arm.
„Da bist du ja! Hallo, Zorro!"

## 2. Der Fragewürfel

a) Schreibt Kärtchen:
   Klebt die Kärtchen auf einen Würfel.

Wie?    Was?    Warum?    Wer?

Wann?    ?

b) Du würfelst. Mach eine Frage zu der Geschichte „Conny hat Geburtstag", zum Beispiel:

Wie?

*Wie ist der Hund?*

Ein anderes Kind sucht die Antwort in der Geschichte:

*Klein und schwarz.*

Bei ? mußt du so fragen:    *Ist der Hund lieb?*    *Ja.*

oder:    *Bekommt Conny Rollschuhe?*    *Nein.*

## 3. Hörgeschichte: Wer macht was?

| | | | |
|---|---|---|---|
| | am Morgen | füttern<br>Gassi gehen | Conny<br>Papi |
| | am Mittag | frisches Wasser geben<br>Gassi gehen | Mami<br>Conny |
| | am Nachmittag | mit Zorro laufen<br>mit Zorro spielen | Mami<br>Conny |
| | am Abend | füttern<br>Gassi gehen | Conny<br>Papi |

a) Hör die Geschichte. Dann hör die Sätze und zeig auf die Bilder im Plan.

b) Hör zu, schau auf den Plan und antworte.

## 4. Ein Hund macht Arbeit

■ Also, Conny, wir haben jetzt einen Hund.
Und ein Hund macht Arbeit.

● Ich weiß.

■ Also, nicht vergessen! Am Morgen und
am Abend musst du Zorro füttern.

● Klar!

■ Am Mittag musst du mit Zorro Gassi gehen.
Und am Nachmittag musst du mit Zorro spielen.

● Ja ja! – Also, Papi. Wir haben jetzt einen Hund.
Und ein Hund macht Arbeit ...

Was sagt Conny zu Papi und Mami? Mach weiter.

# 1. Hörgeschichte: So viele Tiere!

a) Hör zu und schau das Bild an.

b) Hör noch einmal zu und zeig auf die Tiere im Bild.

# 2. Nachsprechen

a) Hör zu, zeig auf die Tiere im Bild und sprich nach.

b) Hör zu, sprich nach und klatsch mit.

# 3. Ratespiel: Pantomime

| ein – der | ein – das | eine – die |
|-----------|-----------|------------|
| Hund | Meerschweinchen | Katze |
| Hamster | Pony | Schildkröte |
| Papagei | Schaf | Kuh |
| Wellensittich | Pferd | Maus |
| … | … | … |

Was für ein Tier ist das?

Ein Hund.

Eine Katze.

Richtig.
Du bist dran.

## 4. Conny kommt

▪ Hallo, Conny! Komm rein!

● Zorro, komm!

▪ Ach, der ist aber süß! Wie alt ist er denn?

● Vier Monate.

◆ Wau, wau!

● Zorro, was hast du denn?
Ach so! Die Katze.

▪ Das ist doch Rosa. Die macht nichts. Die ist lieb.

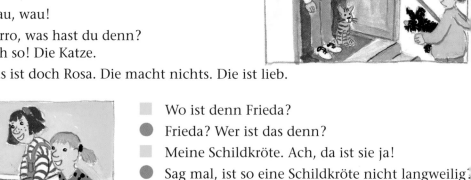

▪ Wo ist denn Frieda?

● Frieda? Wer ist das denn?

▪ Meine Schildkröte. Ach, da ist sie ja!

● Sag mal, ist so eine Schildkröte nicht langweilig?

▪ Nein. Ich spiele gern mit Frieda.
Und sie kann ganz schnell laufen.

● Das glaube ich nicht.

▪ Doch! Sieh mal!

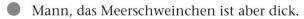

● Mann, das Meerschweinchen ist aber dick.

▪ Ich weiß. Es frisst auch zu viel.

● Gehört das dir?

▪ Nein, Stefan.

● Ach, der Hamster ist ja nett.
Wie heißt er denn?

▪ Isidor.

● Und wem gehört er?

▪ Mir.

▲ Dring! Dring! Telefon!

● Anna, Telefon!

▪ Ach, Quatsch. Das ist doch nur der Papagei.

● Was?

▪ Ja. Er kann ganz toll sprechen.

▲ Telefon! Telefon!

▪ Lora, halt den Schnabel!

Ebenso mit: Hund Napoleon – Wellensittich Kiki – Pony Pauline

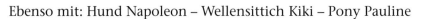

## 5. Das ist mein Haustier!

Hast du ein Tier zu Hause? Dann bring Fotos mit.
Klebt die Fotos auf einen großen Karton. Zeig dein Tier und erzähle:

Das ist mein … Er / Es / Sie heißt … / ist … alt. / Er / Es / Sie kann gut …

Ihr könnt auch fragen: Wem gehört …? Gehört der / das / die … dir?
Wie heißt er / es / sie denn? Wie alt ist er / es / sie denn?

## 6. Was hat ein Tier?

a) Hör zu, zeig auf den Bildern mit
   und sprich nach.

b) Hör die Sätze. Was ist richtig?
   Was ist falsch?

c) Male ein Phantasietier.
   Es hat einen Panzer, Flügel, …

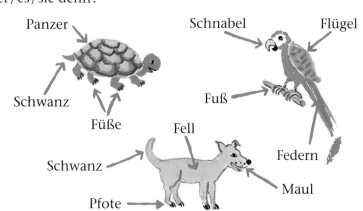

Panzer

Schnabel   Flügel

Schwanz

Fuß

Füße   Fell

Schwanz

Federn

Maul

Pfote

## 7. Spiel: Ein Hund hat keine Federn

a) Schreibt Wortkarten der Tiere und der Körperteile und macht auch Punkte.

| einen/keinen | ein/kein | eine/keine | –/keine |
|---|---|---|---|
| Schwanz | Fell | Pfote | Pfoten |
| Schnabel | Maul | | Füße |
| Flügel | | | Flügel |
| Panzer | | | Federn |

b) So geht das Spiel:
   Legt die Wortkarten verdeckt auf zwei Stapel.
   Du nimmst eine Tier-Wortkarte und eine Körperteil-Wortkarte.

Ein Hund hat keine Federn.
Du bist dran.

Eine Katze hat Pfoten.
Ich darf zeichnen.

Und so geht es weiter:

## 8. Lied: Die Tierband Schlabidabidu

Wir sind die Tier-band Schla-bi-da-bi-du und sin-gen gern im Chor.

*Fine*

Wir sind die Tier-band Schla-bi-da-bi-du und stel-len uns jetzt vor.

Ich bin der Hund Na-po-le-on 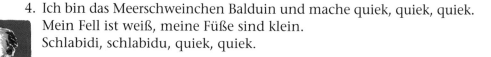 und ma-che wau, wau, wau. Mein

*Da capo*

Maul ist groß, mein Schwanz ist lang, Schla-bi - di, schla-bi-du, wau, wau.

2. Wir sind die Tierband Schlabidabidu …
Ich bin der Papagei und rufe Lora, Lora!
Meine Federn sind bunt, meine Flügel sind kurz.
Schlabidi, schlabidu, Lora!

3. Ich bin die Schildkröte Frieda und mache – – – .
Mein Panzer ist dick, mein Schwanz ist kurz.
Schlabidi, schlabidu, – – .

4. Ich bin das Meerschweinchen Balduin und mache quiek, quiek, quiek.
Mein Fell ist weiß, meine Füße sind klein.
Schlabidi, schlabidu, quiek, quiek.

5. Ich bin die Katze Rosa und mache miau, miau, miau.
Mein Fell ist schwarz, meine Pfoten sind weiß.
Schlabidi, schlabidu, miau.

Schreibt weitere Strophen:

Hamster Isidor: quiek  Mein Fell ist braun.
Meine Füße sind klein.

Wellensittich Kiki: piep  Mein Schnabel ist klein.
Meine Federn sind blau.

## 9. Tier-Comics

Schneide aus Zeitschriften Tiere aus. Klebe ein, zwei oder drei Tiere auf ein Blatt.
Was sagen die Tiere? Macht Sprechblasen. Zum Beispiel:

## 10. Ratespiel: Was für ein Tier bin ich?

⬜ Was für ein Tier bin ich? Ratet mal.
⬤ Hast du ein Fell?
⬜ Nein.
◆ Hast du einen Panzer?
⬜ Nein.
⬤ Hast du Federn?
⬜ Ja.
◆ Sind deine Federn bunt?
⬜ Ja.
⬤ Kannst du sprechen?
⬜ Ja.
◆ Bist du ein Papagei?
⬜ Ja. Du bist dran.

# 1. Kiki ist weg!

He, was ist denn los?

Kiki ist weg!

Komm, wir suchen.

Hast du meinen Wellensittich gesehen?

Nein.

Hast du meinen Wellensittich gesehen?

Wie sieht er denn aus?

Er ist blau. Er heißt Kiki.

Tut mir leid.

Was machen wir denn jetzt?

Komm, wir gehen nach Hause. Wir schreiben einen Zettel.

Mein Wellensittich ist weggeflogen! Er ist blau. Die Flügel sind grau. Er heißt Kiki. Wer hat Kiki gesehen? Bitte melden bei Anna Ott, Maistr. 10

Da hängen wir den Zettel auf.

Und jetzt?

Wir gehen nach Hause und warten.

Guten Tag.

Ist das dein Wellensittich?

Ja!

Kiki, wo warst du denn?

Er ist zur Polizei geflogen und hat d Adresse gesagt.

Kiki Ott, Maistr. 10

## 2. Wir spielen Stabpuppentheater

a) Bastelt Stabpuppen.

&#9312; Die Figur Anna auf Karton malen.

&#9313; Die Figur ausschneiden.

&#9314; Einen Stock hinten festkleben.

Ebenso mit: Conny, Polizist,
Kiki und den zwei Kindern.
Macht auch einen Baum und
ein Haus.

❶   ❷   ❸

b) Baut die Bühne.

Auf einen Tisch zwei Stühle stellen.
Auf die Stühle einen Stock legen und
ein Tuch darüber legen.

c) Spielt Stabpuppentheater.

Spielt die Geschichte „Kiki ist weg"
als Stabpuppentheater.

## 3. Wir erzählen die Geschichte: Kiki ist weg!

Conny kommt zu Anna. 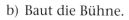 Da kommt ein Polizist. Anna ist traurig. Mein

Wellensittich ist weggeflogen … Kiki ist zur Polizei geflogen und hat die

Adresse gesagt. Sie fragen zwei Kinder. Sie schreiben einen Zettel: Er

hat Kiki. Aber die Kinder haben den Wellensittich nicht gesehen. Anna

und Conny gehen nach Hause. Anna und Conny suchen. Dann gehen

sie wieder nach Hause und warten. Kiki ist weg. Sie hängen den Zettel

auf. Anna ist froh. Kiki ist wieder da!

Schreib die Geschichte in der richtigen Reihenfolge für die Klassenzeitschrift.
Schreib auch den Zettel. Male ein Bild dazu.

## 4. Zorro ist weg!

Anna kommt zu Conny. Conny ist traurig.
Zorro ist weg! Conny und Anna suchen.
Sie fragen zwei Kinder. Aber die Kinder haben
den Hund nicht gesehen. Conny und Anna
gehen nach Hause. Sie schreiben einen Zettel:

Mein Hund ist weggelaufen! ...

Sie hängen den Zettel auf.
Dann gehen sie wieder nach Hause und warten.
Da kommt Stefan, Annas Bruder.
Er hat Zorro. Zorro ist zu Stefan gelaufen.
Conny ist froh. Zorro ist wieder da!

*Zorro, wo warst du denn?*

*Er ist zu mir gelaufen.*

a) Macht eine Comic-Geschichte „Zorro ist weg!" wie in C1.
   Schreibt auch den Zettel.

b) Bastelt noch zwei Stabpuppen, Zorro und Stefan.
   Spielt die Geschichte „Zorro ist weg" als Stabpuppentheater.

## 5. Die Klassenzeitschrift

Sammelt für die Nummer 5 „Alle meine Tiere"
die Phantasietier-Bilder, die Liedstrophen,
die Tier-Comics, die Geschichte „Kiki ist weg"
und die Comic-Geschichte „Zorro ist weg".

Klassenzeitschrift TAMBURIN Nummer 5 Klasse 4a Alle meine Tiere

## 6. Mein Tier ist was Besonderes

# Meine Freunde und ich

## 1. Was ist denn das?

Udo, was hast du denn da?
Gib mal her!

Was ist denn das?
Das verstehe ich nicht!

hcl eheg ma Do mu🕐ni ned 🎪
tsmmoK ud tim?  odU

Udo hat in Geheimschrift geschrieben.
Verstehst du den Zettel?

Ich gehe am Donnerstag um drei Uhr in den Zirkus.
Kommst du mit? Udo

## 2. Achtung! Geheimschrift!

a) Viele Kinder haben einen Zettel von Udo bekommen.
   Hör zu, lies die Antworten mit und sprich nach.

 Tut mir leid. Ich gehe am Donnerstag um halb vier ins Kino. Tim

 Ich muss am Donnerstag um zwei Uhr in die Ballettschule. Eva

 Ich komme mit. Ich gehe gern in den Zirkus. Miriam

 Da gehe ich ins Schwimmbad. Wie ist es am Freitag? Jörg

 Um zwei Uhr muss ich auf den Sportplatz. Wir spielen Fußball. Ali

 Da habe ich Gitarrenstunde. Ich muss in die Musikschule. Anna

Ich gehe in die Turnhalle. Ich habe Basketballtraining. Mario

Ich kann nicht. Ich muss mit Klein-Susi auf den Spielplatz. Ute

b) Welche Antworten sind das? Lies vor.

c) Schreib auch die anderen Antworten in Geheimschrift.

## 3. Nachsprechen

Hör zu und sprich genau nach.

## 4. Ich habe keine Zeit

■ Hallo, Alex.
Spielen wir Fußball?

● Tut mir Leid. Ich habe keine Zeit.
Ich muss weg.

■ Wohin gehst du denn?

● Ins Kino.

■ Ins Kino? Darf ich mitkommen?

Ebenso mit: Memory, Domino, … und

in den Zirkus

ins Kino

in die Musikschule

auf den Sportplatz

ins Schwimmbad

in die Ballettschule

auf den Spielplatz

ins Theater

in die Turnhalle

## 5. Spiel: Gruppenchef

a) Macht Bildkarten und Wortkarten
wie in Nummer 4.

b) So geht das Spiel:
Vier oder fünf Kinder sind die Gruppenchefs.
Sie gehen raus. Die Klasse hängt sechs Bildkarten
verdeckt an die Tafel. Nun bestimmt die Klasse:
Vier Kinder gehen in den Zoo, vier Kinder gehen ins Kino, …
Die Gruppenchefs kommen rein und bekommen die passenden
Wortkarten. Die Kinder gehen langsam durcheinander auf die
Tafel zu und spielen dabei pantomimisch, wohin sie gehen.
Die Chefs müssen ihre Gruppe so schnell wie möglich finden.
Am Schluss fragt die Klasse jede Gruppe: *Wohin geht ihr? – In den Zoo / Ins Kino /…*

# 6. Ratespiel: Ratet mal, wann!

Du brauchst zu diesem Spiel deine gebastelte Uhr.

- Ich gehe heute ins Schwimmbad.
  Ratet mal, wann!
- Um vier Uhr.
- Früher.
▲ Um halb vier.
- Später.
◆ Um Viertel vor vier.
- Richtig. Du bist dran.

# 7. Das Scheibenspiel

a) Bastelt das Scheibenspiel.

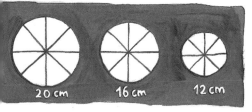

20 cm    16 cm    12 cm

Schneide drei Scheiben aus Karton
aus: 20 cm, 16 cm und 12 cm.
Zeichne auf jede Scheibe acht Linien.

Schreib auf die große Scheibe:
ins Kino, in die Schule, ...

Schreib auf die mittlere Scheibe:
um drei, um halb fünf, ...

Schreib auf die kleine Scheibe:
heute, am Montag, ...

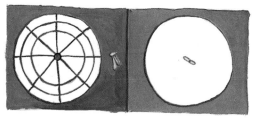

Leg die Scheiben aufeinander,
mach ein Loch in der Mitte und
steck eine Briefklammer durch.

in die Schule · ins Kino · in den Zoo · um drei · um halb fünf · um Viertel · heute · am Montag · am Di...

b) So geht das Spiel:
   Dreh die Scheiben. Zum Beispiel so:

- Wohin gehe ich am Montag
  um halb fünf? Ratet mal.

c) Oder so:

- Wann gehe ich in den Zoo?
  Ratet mal.

in den Zoo · um halb fünf · am Montag

## 8. Quatschspiel

a) Ihr braucht das Scheibenspiel.
Schreibt auch Satzkarten:

| Wir schlafen. |
| Wir sehen fern. |
| Wir machen Männchen. |
| ... |

b) So geht das Spiel:
Die Klasse in zwei Gruppen einteilen. Gruppe 1 dreht das Scheibenspiel.
Gruppe 2 zieht eine Satzkarte. Beispiel:

Ihr geht am Montag um drei in den Zirkus. Was macht ihr da?

Wir schlafen.

Wir schlafen.

c) Dreht die Scheiben und zieht eine Satzkarte.
Nun schreibt einen Satz und malt ein Bild dazu. Beispiel:

Am Dienstag um drei gehen wir ins Kino und machen Männchen.

Sammelt den schönsten Quatsch für die Klassenzeitschrift.

## 9. Spiel: Der lange Satz

■ Das erste Kind sagt: Am  ● Das zweite Kind: Am Sonntag  ◆ Das dritte Kind: Am Sonntag um  ▲ Das vierte Kind: Am Sonntag um halb  ▼ Das fünfte Kind: Am Sonntag um halb drei  ★ Das sechste Kind: Am Sonntag um halb drei gehen  ✳ ...

## 10. Am Donnerstag

■ Udo Schmidt.

● Hallo, Udo, hier ist Miriam.
Du, tut mir leid. Ich gehe nicht mit in den Zirkus.

■ Aber warum denn nicht?

● Ich darf nicht. Ich muss Mathe lernen.

■ Schade. Dann bleibe ich auch zu Hause.
Allein macht das keinen Spaß.

■ Udo Schmidt.

▲ Hallo, Udo, hier ist Mario.
Du gehst doch um drei in den Zirkus.
Ich möchte mitkommen.
Ich muss heute nicht in die Turnhalle.

■ Super! Also, bis gleich.

Ebenso mit: Musikschule, Spielplatz, ... Nenne auch die Namen.

# 1. Hörgeschichte: Am Donnerstag ist was los!

**Schülermeisterschaft**

Fußballspiel
Klasse 4 a
gegen
Klasse 4 b
am Donnerstag um drei
Sportplatz Olching

a) Hör die Geschichte.

b)  Das ist Martin. Er hat viele Freunde. Lies die Texte unten.
Nun hör noch einmal die Geschichte.
Wer kommt in der Hörgeschichte vor?

Das sind Martins Freunde:

Das ist Jannis. Er kommt
aus Griechenland. Er spielt
ganz toll Fußball.

Veronika ist elf Jahre alt.
Sie geht am Mittwoch
immer auf den Sportplatz.

Edem ist aus Togo.
Er spielt Gitarre und
macht viel Sport.

Lisa ist zehn Jahre alt.
Sie ist klein und dick.
Aber sie kann schnell
laufen.

Tim und Tom sind Brüder.
Tim ist zehn, und Tom ist
acht Jahre alt. Sie spielen
gern Basketball.

Das ist Maria. Sie kommt
aus Italien. Sie kann sehr
gut Fußball spielen.

# 2. Der Fragewürfel!

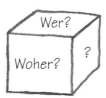

a) Macht einen Fragewürfel mit den Fragen:
Wer? Was? Wie? Wann? Woher? ?

b) Du würfelst. Mach eine Frage zu Martins Freunden oder zum Fußball-Plakat.
Beispiel: Woher? Bei ? musst du so fragen:

■ Woher ist Edem?
● Aus Togo.

■ Kann Maria Fußball spielen?
● Ja.

### 3. Wer spielt mit?

Das ist die Mannschaft
der Klasse 4 a.
Schau das Bild genau an.
Wer spielt mit?

### 4. Hörgeschichte: Das Fußballspiel

a) Hör die Reportage des Fußballspiels.

b) Nachher sprechen die Kinder über das Fußballspiel.
Hör zu und lies mit. Was ist richtig? Was ist falsch?

Die 4 a hat gar
nicht gut gespielt!

Also, Jannis war super.
Er ist so schnell gelaufen.

So ein Mist! Wir haben
kein Tor geschossen.

Wir haben gewonnen.
Das ist toll.

Das Spiel war
langweilig.

Maria hat ein Tor geschossen.
Das Mädchen kann Fußball spielen!

Wir haben gelacht:
Mädchen und Fußball!
So ein Quatsch!

Sascha hat geschossen. Aber
Veronika hat den Ball gefangen.

Ich bin traurig.

c) Tom hat Fotos gemacht. Was passt zu den Sätzen oben? Ordne zu.

### 5. Nachsprechen

Hör zu und sprich genau nach.

## 6. Ein Brief an Tassilo

Olching, 12. …

Lieber Tassilo,

ich muss dir erzählen, was gestern passiert ist. Wir haben gegen die 4b Fußball gespielt. Lisa, Maria und Veronika haben auch mitgespielt. Veronika war Torwart. Die 4b hat gelacht! Sie haben gesagt:  „Mädchen und Fußball! So ein Quatsch!"

Das Spiel war toll. Jannis ist so schnell gelaufen. Zuerst war die 4b auch ganz gut. Sascha, ein Junge aus der 4b, hat einmal auf das Tor geschossen. Aber Veronika hat den Ball gefangen. Wir haben fast eine Stunde gespielt. Aber keine Mannschaft hat ein Tor geschossen. Dann ist es passiert: Maria hat den Ball bekommen. Sie ist ganz schnell gelaufen. Sie hat geschossen, und … Tor! Wir haben gewonnen.

Viele Grüße
         dein Martin

## 7. Spiel: Fußball und Fragen

Immer zwei Gruppen spielen gegeneinander. Jede Gruppe hat ein Tor. Legt eine Murmel oder einen Stein in die Mitte. Gruppe 1 stellt eine Frage zu dem Brief. Beispiel: *Wer hat das Tor geschossen?* Gruppe 2 antwortet. Ist die Antwort richtig? Dann darf Gruppe 2 die Murmel/den Stein zur 16-Meter-Linie schieben. Jetzt fragt Gruppe 2. Gruppe 1 antwortet. Ist die Antwort richtig? Dann darf Gruppe 1 die Murmel/den Stein zurück zur Mittellinie schieben. Ist die Antwort falsch? Dann bleibt der Ball auf der 16-Meter-Linie liegen. Wenn Gruppe 2 jetzt richtig antwortet, kann sie ein Tor schießen.

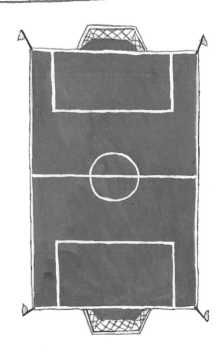

## 8. Meine Freunde

Wer ist dein Freund/deine Freundin? Wie heißt er/sie? Wie alt ist er/sie? Wie sieht er/sie aus? Woher kommt er/sie? Wohin geht er/sie gern? Was kann er/sie gut? Kann er/sie gut Fußball spielen?

Schreib auf ein Blatt: *Das ist mein Freund/meine Freundin. Er/Sie heißt …*

Male auch ein Bild dazu. Sammelt die Blätter für die Klassenzeitschrift.

## 1. Lied: Wenn es regnet

Was macht du, wenn es reg-net, wenn es reg-net? Was

machst du, wenn es reg-net? Was? Was? Was? Ich

ge - he in die Turn - hal - le o - der ins Ki - no. Ich

ge - he in die Turn - hal - le. Ja, ja, ja, ja!

2. Was machst du, wenn es blitzt,
und wenn es donnert?

Was machst du, wenn es donnert? Was? Was? Was?
Ich habe Angst, ich habe Angst und bleibe im Bett.
Ich habe Angst, ich habe Angst. Ja, ja, ja, ja!

3. Was machst du, wenn es heiß ist, …
Was machst du, wenn es heiß ist? Was? Was? Was?
Ich gehe auf den Sportplatz oder ins Schwimmbad.
Ich gehe auf den Sportplatz. Ja, ja, ja, ja!

4. Was machst du, wenn es schneit, ja, wenn …?
Ich baue einen Schneemann oder fahre Schlitten.
Ich baue einen Schneemann. Ja, ja, ja, ja!

5. Was machst du, wenn es kalt ist, wenn …?
Ich bleibe zu Hause und lese ein Buch. Ich bleibe …

6. Was machst du, wenn die Sonne scheint, wenn …?
Ich gehe auf den Spielplatz oder fahre Rad …

Lies die Sätze. Zu welchem Wetter passen sie?
Mach weitere Strophen. Mal auch ein Bild dazu.

Ich spiele Karten.

Ich esse Eis.

Ich gehe in den Zirkus.

Ich laufe Schlittschuh.

Ich spiele Fußball.

Ich spiele Gitarre.

Ich sehe fern.

Ich fahre Schi.

## 2. Spiel: Was machst du, wenn ...?

Alle Kinder gehen in der Klasse herum. Der Spielleiter (Lehrer oder ein Schüler) fragt, zum Beispiel: *Was macht ihr, wenn es schneit?* Alle Kinder bleiben stehen und spielen pantomimisch. Dann fragt der Spielleiter jedes Kind.

## 3. Nachsprechen

Hör zu, sprich nach und mach mit.

## 4. Das ist Detlef!

- Hallo, Detlef.
- Tag, Edem. Hallo, Martin.
- Wir gehen ins Schwimmbad. Kommst du mit?
- Und wenn es regnet?
- Komm schon! Die Sonne scheint.
- ▲ Das Wetter ist so schön.
- Na ja, aber wenn es regnet!
- Es regnet aber nicht.
- Na, ich weiß nicht.
- ▲ Komm mit! Wir gehen ins Kino, wenn es regnet.
- Ins Kino? Ist das nicht zu heiß heute?
- O je! Edem, komm wir gehen.
- Wartet mal!
...

Wie geht die Geschichte weiter?

Ebenso mit: auf den Sportplatz – in die Turnhalle, ...

## 5. Schreibspiel

Schreib auf ein Blatt:
Ich baue einen Schneemann, oder Ich gehe in den Zoo, oder …
Falte das Blatt nach hinten um. Gib das Blatt nach links weiter.
Schreib nun: wenn es heiß ist. Oder wenn es schneit. Oder …
Mach das Blatt auf und lies vor. Wer hat den schönsten Quatsch?

## 6. Der Wetterfrosch

a) Hör zu und schau das Bild an.

b) Wie ist das Wetter heute? Hör zu.
   Was ist richtig? Sprich nach.

Die Sonne scheint.    Es regnet.    Es schneit.    Es ist wolkig.    Es ist windig.    Es ist kalt, 8 Grad.

## 7. Wie ist das Wetter heute?

a) Bastelt einen Fernseher. Ihr
   braucht einen großen Karton.
   Schneidet ein Loch aus
   und malt Tasten.

b) Beobachtet jeden Tag das Wetter.
   Dann macht ein Kind den Wetterbericht im Fernsehen.
   Beispiel: Das Wetter heute. Es ist wolkig und windig.
   Es ist nicht so heiß, nur 20 Grad.

c) Tragt jeden Tag das Wetter in eine Tabelle ein. Beispiel:

| Tag | Wetter | Temperatur |
|---|---|---|
| Montag, 12. Juni | Es ist wolkig und windig. | 20 Grad |
| Dienstag, 13. Juni | Die Sonne scheint. | 27 Grad |

## 8. Die Klassenzeitschrift

Sammelt für die Klassenzeitschrift: die Zettel in Geheimschrift, die Blätter
„Das ist mein Freund/meine Freundin", die Liedstrophen, die Quatschsätze
aus dem Quatschspiel und aus dem Schreibspiel und die Wettertabelle.

# Hans im Glück

## 1. Was für Berufe sind das?

a) Hör zu, lies mit und sprich die Wörter nach.

Sänger    Zauberer    Metzger    Pilot    Clown    Lehrer

Scheren-    Dompteur    Musiker    Bauer    Nacht-    Rennfahrer
schleifer                                  wächter

b) Hör zu, lies die Sätze mit und sprich laut nach.

1. Er macht Unterricht.
2. Er fährt ganz schnell.
3. Er passt in der Nacht auf.
4. Er kann zaubern.
5. Er kann gut singen.
6. Er macht Musik.
7. Er verkauft Fleisch und Würstchen.
8. Er macht Spaß und Quatsch.
9. Er kann ein Flugzeug fliegen.
10. Er macht Scheren und Messer scharf.
11. Er hat Kühe und Schweine.
12. Er hat Löwen und Tiger.

c) Ordne die Sätze den Bildern zu.
   Sprich so: Er macht Unterricht. Das ist ein Lehrer.

d) Welche Berufe gibt es heute noch? Welche Berufe gibt es nicht mehr?

## 2. Ratespiel: Pantomime

# 1. Das Märchen „Hans im Glück"

Hans hat sieben Jahre bei einem Meister gearbeitet. Der Meister ist sehr nett und die Arbeit macht Spaß. Aber Hans möchte jetzt gern wieder nach Hause.

Meister, ich habe sieben Jahre hier gearbeitet. Die Arbeit hat Spaß gemacht. Aber jetzt möchte ich nach Hause.

Du hast viel gearbeitet. Hier hast du ein Stück Gold.

Hans nimmt das Gold und geht los. Die Sonne scheint und Hans ist froh.

Ich bin der Hans im Glück. Ach, wie bin ich froh.

Ach, wie bin ich froh. Jetzt hab' ich ein Stück

Gold, la - la - la - li - la - lo. Ich

bin der Hans im Glück. Ach, wie bin ich froh.

Aber es ist heiß und das Gold ist schwer. Hans ist bald müde.
Was ist das? Wer kommt denn da? Ein Reiter. Ach, der hat es gut!

Ach, du hast es gut! Du kannst reiten und ich muss zu Fuß gehen. Und das Gold ist so schwer.

Tauschen wir? Ich ge dir mein Pferd und d gibst mir das Gold.

Einverstanden.

Hans reitet los. Ach, das ist ja toll! Er muss nicht mehr laufen.
Reiten macht Spaß. Aber Hans möchte ganz schnell reiten.

> opp, hopp, Pferdchen!
> chnell, schnell!

> Halt, Pferdchen, halt!
>
> Au, au!

 Wer bist du denn?

 Ich bin ein Bauer. Was ist denn passiert?

 Ach, das Pferd ist doof. Ich möchte nicht
mehr reiten. Du hast es gut.

 Warum?

 Du hast eine Kuh. Du musst nicht reiten.
Und die Kuh gibt Milch.

 Tauschen wir? Ich gebe dir meine Kuh
und du gibst mir dein Pferd.

 Ja, klar.

> Ich bin der Hans im Glück.
> Ach, wie bin ich froh!
> Jetzt hab ich eine Kuh.
> La-la-la-li-la-lo.

> Und ich habe ein Pferd.
> He, he, he!

Jetzt hat Hans eine Kuh. Hans geht weiter.
Die Sonne scheint und es ist heiß. Hans hat Durst.

 So ein Mist! Die Kuh ist ja gemein.
Sie gibt auch keine Milch.
Und ich habe so einen Durst!

 Ach, die Kuh ist alt. Die gibt keine Milch mehr.
Ich weiß das. Ich bin Metzger.

 Du hast es gut! Du hast ein Schwein.
Das gibt Fleisch und Würstchen.

 Tauschen wir? Ich gebe dir das Schwein
und du gibst mir deine Kuh.

 Vielen Dank. Du bist wirklich nett.

Jetzt hat Hans ein Schwein. Er geht weiter. Da kommt ein Junge. Er hat eine Gans.

 Guten Tag!

 Guten Tag!
Woher hast du das Schwein?

 Da war ein Metzger. Und wir haben getauscht.

 Komisch. Weißt du, da hat jemand ein Schwein gestohlen.

 Ein Schwein gestohlen?

 Ja. Und vielleicht ist das dein Schwein.

 O je, was mache ich denn jetzt?

 Du, ich helfe dir. Wir tauschen. Gib mir
das Schwein und du bekommst meine Gans.

 Du bist wirklich nett. Danke! Danke!

Hans geht weiter. Da sieht er einen Mann. Der sitzt da und singt.

Ich schlei-fe die Sche-re und dre-he ge-schwind und hän-ge mein Män-tel-chen
juj, juj, juj, juj, juj, juj, juj, juj, juj, juj, juj, juj, juj, juj, juj, juj, juj,

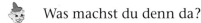

nach dem Wind. Juj, juj, juj, juj, juj, juj, juj, juj, juj, juj, juj, ju.

Was machst du denn da?

Ich bin Scherenschleifer.
Ich mache Scheren und Messer scharf.

Aha.

Ja. Mir geht's gut. Ich habe immer Geld.

Warum?

Na ja. Ich habe immer Arbeit.
Alle Leute haben Scheren und Messer.
Ich schleife die Sachen und bekomme Geld dafür.

Jetzt verstehe ich! Das ist ja toll!
Kann ich auch so was machen?

Ja klar. Du brauchst nur einen Schleifstein.

Wirklich?

Weißt du was? Hier habe ich noch einen
Schleifstein. Der Stein ist schon alt und
ein bisschen kaputt. Aber er geht noch.
Gib mir deine Gans. Dann kannst du den
Stein haben.

Ja, gern!

Hans nimmt den Schleifstein und geht weiter.
Es ist schon Nachmittag. Er ist müde und hat Durst.

Er legt den Stein hin. Da passiert es! Der Stein fällt ins Wasser und ist weg.
Aber Hans ist nicht traurig.

Fröhlich geht Hans nach Hause.

## 2. Nachsprechen

Hör zu und sprich genau nach.

# 3. Schattentheater

a) Wir basteln Schattenfiguren.
Ihr braucht schwarzen Karton,  Briefklammern  und dünne Stäbe.

Figur aus Karton
ausschneiden, nur Kopf,
Körper und ein Bein

Augen, Mund und
Muster auf der Kleidung
ausschneiden

einen Arm und ein
Bein ausschneiden

in den Arm, in das
Bein und in den Körper
Löcher machen

den Arm und das Bein
mit Briefklammern
am Körper festmachen

am Arm und an beiden
Beinen Stäbe festkleben

bei Pferd, Kuh und Schwein
Kopf, Körper und drei Beine
ausschneiden

ein Bein ausschneiden und
mit einer Briefklammer am
Körper festmachen

in der Mitte und am
beweglichen Bein
Stäbe festkleben

bei der Gans ein Bein
mit einer Briefklammer
festmachen

das Gold, den Stein und
den Brunnen ausschneiden

an dem Gold, dem Stein
und dem Brunnen Stäbe
festkleben

b) So führst du die Schattenfigur.

Halte in einer Hand den festen Stab und in der anderen Hand die beweglichen Stäbe. Wenn die Figur geht, musst du die beweglichen Stäbe rauf und runter schieben.

c) Wir spielen Schattentheater

ein Betttuch hinter einen Tisch hängen

zwei Lampen hinter das Tuch stellen

die Figuren von hinten nah ans Tuch halten

## 4. Würfelspiel

a) Immer sechs Kinder spielen zusammen.
   Jede Gruppe macht diese Bildkarten:
   Gold, Pferd, Kuh, Schwein, Gans und Stein.

b) So geht das Spiel:
   Jeder Spieler zieht eine Karte und hält
   sie verdeckt. Du würfelst. Wenn du
   auf ein buntes Feld kommst, **musst** du
   mit einem anderen Spieler tauschen.
   Du sagst: „Alex, tauschen wir?
   Ich gebe dir mein Pferd."
   Alex sagt: „Und ich gebe dir meine Kuh."
   Wenn ein Spieler auf ein Feld „Alle tauschen"
   kommt, gibt jeder seine Karte zum linken
   Mitspieler weiter.
   Wer das Gold durch das Ziel bringt, hat
   gewonnen. Wenn du **genau** auf das Ziel
   kommst und das Gold nicht hast, darfst
   du noch einmal tauschen.

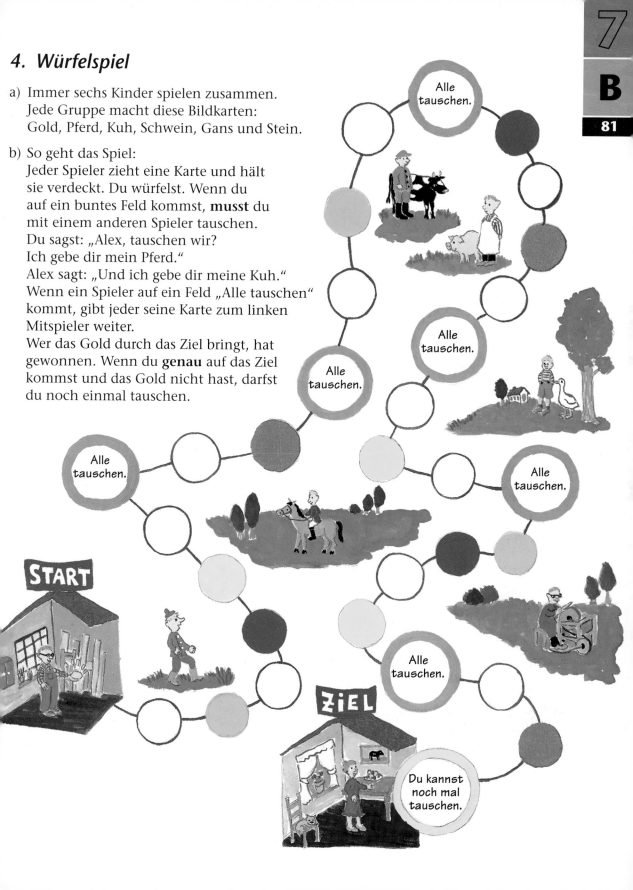

# Jahreszeiten und Feste

## Sommer

### 1. Lied: Tra-ri-ra, der Sommer, der ist da

Tra - ri - ra, der Som - mer, der ist da.

Wir wol - len in den Gar - ten
und auf den Som - mer war - ten.

Ja, ja, ja, der Som - mer, der ist da!

2. Tra-ri-ra, …
Wir wollen hinter die Hecken
und woll'n den Sommer wecken.
Ja, ja, ja, …

3. Der Sommer hat gewonnen,
der Winter ist zerronnen.

### 2. Sommer in Deutschland

Die Kinder gehen
am Nachmittag ins
Schwimmbad.

Manche Kinder
fahren Rad oder
Skateboard.

Viele Familien fahren hinaus
und wandern.

Die Kinder spielen draußen.

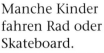

Manche fahren weg und mach
Picknick.

# Winter

## 1. Lied: Schneeflöckchen

Schnee - flöck-chen, Weiß-röck-chen, da kommst du ge - schneit. Du

wohnst in den Wol - ken, dein Weg ist so weit.

2. Komm, setz dich ans Fenster, du lieblicher Stern;
malst Blumen und Blätter, wir haben dich gern.

3. Schneeflöckchen, du deckst uns die Blümelein zu.
Dann schlafen sie sicher in himmlischer Ruh'.

## 2. Winter in Deutschland

Die Kinder können Schlitten fahren.

Im Winter gibt es viel Schnee.

Oder sie fahren Schi oder Snowboard.

Sie können einen Schneemann bauen.

# Advent und Weihnachten

## 1. Advent

a) Wir feiern Advent

Im Dezember haben viele Familien zu Hause
einen Adventskranz oder ein Adventsgesteck.
Am ersten Sonntag im Advent zünden sie die
erste Kerze an, am zweiten Sonntag die zweite
Kerze, am dritten Sonntag die dritte Kerze
und am vierten Adventssonntag die vierte.

b) Wir basteln ein Adventsgesteck

Material:   Tannenzweige , vier rote Kerzen 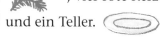,

eine rote Schleife und ein Teller.

Legt die Tannenzweige auf den Teller und
stellt die vier Kerzen hinein. Bindet die Schleife fest.
Ihr könnt auch kleine Weihnachtssterne darauf stecken.

## 2. Nikolauslied: *Lasst uns froh und munter sein*

Lasst uns froh und mun-ter sein und uns recht von
Her - zen freu'n. Lu - stig, lu - stig, tra - la - la - la - la,
bald ist Nik - laus - a - bend da, bald ist Nik - laus - a-bend da.

2. Dann stell' ich den Teller auf,
Niklaus legt gewiss was drauf. Lustig …

3. Wenn ich schlaf', dann träume ich,
jetzt bringt Niklaus was für mich. Lustig …

4. Wenn ich aufgestanden bin,
lauf ich schnell zum Teller hin.

5. Niklaus ist ein guter Mann,
den man nicht genug loben kann.

# 3. Wir basteln Fensterschmuck

Material: buntes Papier  Transparentpapier

ein Quadrat ausschneiden

das Papier falten

das Papier noch mal falten

Ecken ausschneiden

Transparentpapier
aufkleben

die Sterne ans
Fenster hängen

Du kannst die Sterne auch aus Goldpapier machen.
Dann brauchst du das Transparentpapier nicht.

Du kannst mit den Goldpapiersternen eine Weihnachtskarte verzieren,
einen Tannenzweig dekorieren oder sie auf das Adventsgesteck stecken.

# 4. Lied: Alle Jahre wieder

Al - le Jah - re    wie - der    kommt das    Chri - stus - kind

auf die  Er - de    nie    -    der,    wo  wir    Men - schen    sind.

2. Kehrt mit seinem Segen ein in jedes Haus,
   geht auf allen Wegen mit uns ein und aus.

3. Ist auch mir zur Seite, still und unerkannt,
   dass es treu mich leite an der lieben Hand.

## 5. Weihnachtszeit in Deutschland

So kann der Winter
in Deutschland sein.

So sehen die Städte
in Deutschland zur
Weihnachtszeit aus.

So feiern die
Kinder Advent
in der Schule.

Viele Leute gehen auf den
Christkindlmarkt und kaufen
Weihnachtssachen ein.

## 6. Lied: Leise rieselt der Schnee

Lei - se rie-selt der Schnee, still und starr liegt der See.

Weih-nacht-lich glän-zet der Wald. Freu-e dich, Christ-kind kommt bald.

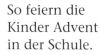

2. In den Herzen ist's warm, still schweigt Kummer und Harm.
Sorge des Lebens verhallt: Freue dich, Christkind kommt bald.

3. Bald ist Heilige Nacht, Chor der Engel erwacht.
Hört nur wie lieblich es schallt. Freue dich, …

# Karneval – Fasching

## 1. Gedicht: Im Karneval, im Karneval

Im Karneval, im Karneval
tut jeder, was er kann.
Der Egon geht als Eskimo
und Ernst als Schwarzer Mann.

Der dicke Ritter Kunibert,
der hat es gleich entdeckt,
dass unter dem Kartoffelsack
des Nachbars Hansel steckt.

Der Franzl geht als Zauberer
und Fritz als Polizist,
doch niemand hat bisher erkannt,
wer dort die Hexe ist.

Die Lehrerin ist Hans im Glück.
Klein Ruth spielt Lehrerin,
und unsre Marktfrau Barbara
ist Schönheitskönigin.

Im Karneval, im Karneval
tut jeder, was er kann.
Der Egon geht als Eskimo
und Ernst als Schwarzer Mann.

*Bruno Ernst Bull*

## 2. Schminkschule: Wie werde ich ein Clown?

Mal deinen Mund
rot an.

Mal eine schwarze Linie
um deinen Mund herum.

Mal die Fläche um
den Mund weiß aus.

Mal schwarze Linien
an deinen Augen.

Mal eine kleine Schachtel
rot an und mach einen
Gummi fest.

Setz die Pappnase auf.
Setz auch einen lustigen
Hut auf.

## *Ostern*

### *1. Wir machen einen Osterstrauß*

Material: ausgeblasene Eier,  bunte Bänder,  Wolle und Borten,  Streichhölzer

ausgeblasene Eier
anmalen

bunte Bänder oder
Borten aufkleben

oder Muster mit Wolle
aufkleben

an ein halbes Streichholz
einen Wollfaden oder ein
Band festbinden

das Streichholz oben
durch das Loch
in das Ei stecken

die Eier auf Zweige
hängen

### *2. Wir schmücken einen Ostertisch*

So schön sind Ostereier.

Das ist ein Tisch am
Ostersonntagmorgen.

So sieht ein
Osterstrauß aus.